ぜ～んぶプランターでできちゃう！

小学生の野菜づくりブック

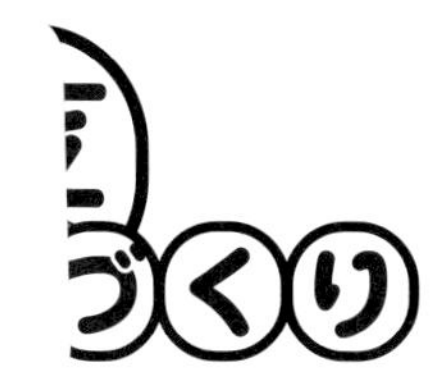

藤田智 監修
家の光協会

ブック

野菜づくりをはじめよう！

野菜を育てるって、とってもふしぎでおもしろい。
ほんとうに小さな種や苗だった野菜が、毎日どんどん大きくなっていくよ。
お世話をして育てた野菜の花が咲いたり、実がなるのを見たら、うれしくなるよね。
思いどおりにいかなかったり、失敗することもあるけれど、
自分で育てた野菜はとびっきりのおいしさだよ。
さあ、好きな野菜を選んで、とっておきのワクワク体験に挑戦してみよう！

もくじ

食べて元気モリモリ！健康野菜

野菜を観察してみよう！

もっと知りたい！プランター野菜づくり

［この本の使い方］

・それぞれの野菜の育て方のページに、育てやすさの目安を入れているよ。

やさしい：はじめてでも簡単に育てられるよ。

ふつう：少したいへんなところもあるけれど、がんばれば育てられるよ。

むずかしめ：野菜づくりに慣れてきたら挑戦してみよう。

・わからない言葉が出てきたら、95ページの「野菜の用語集」を見てね。困ったときは、おとなに聞いてみよう。

・この本で紹介している種まきや植えつけ、収穫などの時期は、関東から西の平野部を基準にしているよ。地域や栽培環境、品種、その年の気象状況などによって変わってくるので、目安にしてね。

・冷涼地（寒い地方）で野菜を育てるときは、88ページの「冷涼地カレンダー」も参考にしてね。

・なるべく農薬を使わない育て方を紹介しているよ。使うときはかならずおとなと一緒に！

どんな野菜を育ててみたい？

野菜づくりは、何を育てるか決めるところからスタートするよ！
きみが「育ててみたい！」と思う野菜は何かな？

好きな野菜

ミニトマト、イチゴ、トウモロコシ、エダマメ――いろいろな野菜の中から、好きな野菜を選んで育ててみよう。収穫が待ち遠しくてたまらなくなるよ。自分で育ててうれしいのは、とりたてが食べられること。とりたて野菜には、おいしさと栄養が、ぎゅっとつまっているんだ。それにね、不思議だけれど、自分で育てた野菜は、おいしさが2倍にも3倍にもなるよ。ぜひ、味わってみてね。

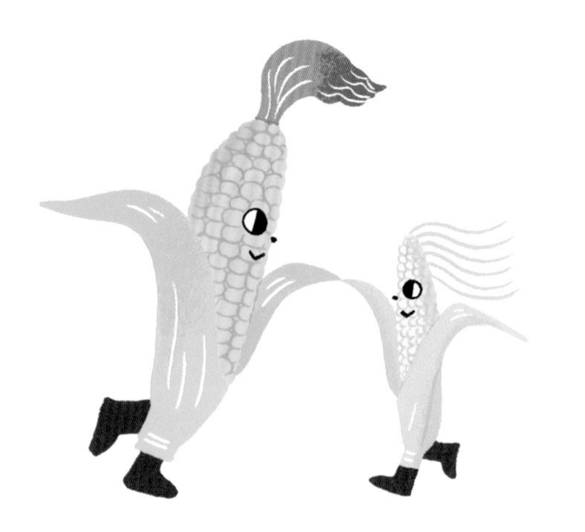

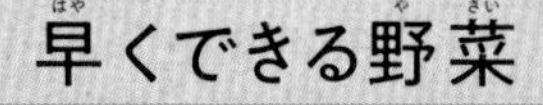

早くできる野菜

育て始めたら、やっぱり早く食べたいよね。そんなときは、収穫までの期間が短い野菜がおすすめ。たとえばラディッシュ（12ページ）なら30日くらい、スプラウト（74ページ）なら1週間もすればできちゃうよ。コマツナやミニニンジンのように、収穫までの時間はかかっても、とちゅうで間引いた葉や芽（間引き菜というよ）が食べられる野菜もあるので、そういう野菜を選んでもいいね。

野菜の〝旬〟もチェックしてね

旬とは、自然の中で育った野菜が収穫できる時期のこと。旬の野菜は、おいしいことはもちろん、栄養も満点だよ。旬の時期は、野菜によってちがうし、種をまいたり苗を植えたりする時期もちがうんだ。それぞれの野菜のページに「栽培カレンダー」がのっているので、種まきや苗を植える時期、収穫の時期をチェックして野菜を選んでね！

野菜はどうやって育てるの?

「ところで、野菜ってどうやって育てればいいんだろう」と疑問に思っているかもしれないね。
はじめに、だいたいの流れを知っておこう。くわしくは、82ページからを見てね。

種をまく、または苗を植えつける

野菜は、種をまくか苗を植えつけるか、どちらかの方法で育てるよ。

種のまき方には「全体にぱらぱらとまく(ばらまき)」「みぞをつけてまく(みぞまき)」などの方法があるんだ。野菜によってちがうので、育てる野菜のページを見て確認してね。種から育てることがむずかしい野菜、種から育てると時間がかかる野菜は、苗を買ってきて植えつけよう。苗は、専門の人が種をまいて育てた若い芽のことだよ。種や苗の選び方は、8ページを見てね。

お世話をする

種まきや苗の植えつけがすんだら、元気に育つようにお世話をしよう。

- 水やり…土の様子を見て、表面がかわいていたら、朝か夕方に、たっぷり水をやってね。
- 間引き…間引きとは、種から出た芽をぬいて、数を調整すること。種をまくとたくさん芽が出るけれど、そのままにしておくと大きく育たないし、元気がなくなってしまうこともあるんだ。

 引きぬいた芽は「間引き菜」として食べられるものもあるよ。

- 追肥(肥料やり)…野菜は、土の中から養分を吸収して大きくなるよ。肥料は、その養分。足りなくならないように、肥料を補給することを「追肥」というよ。

収穫する!

野菜が大きく育ったら、根ごと引きぬいたり、食べる分をハサミで切ったりして収穫するよ。

収穫のタイミングがおくれると、大きくなりすぎてかたくなったり、味が落ちたりするので、食べごろをのがさないようにしてね。

野菜はどこで育てるの？

この本で紹介する野菜はどれも、プランターや鉢で育てられるよ。
次のことに気をつけて、庭やベランダ、玄関先など、
お世話をしやすい場所にプランターを置こう。

日当たり

野菜は基本的に、太陽の光がよく当たる場所で元気に育つよ。だから、できるだけ長く日の当たる場所にプランターを置いてあげよう。ただし、真夏の西からの日ざしには気をつけてね。日が強すぎて、野菜がぐったりしてしまうことがあるんだ。西向きにしかプランターを置けない場合は、午後2時を過ぎたら日かげに移動したり、日よけをつくったりするといいよ。

風とおし

風とおしが悪いと、虫がついたり病気になったりしやすいんだ。プランターは、風とおしのよいところに置くようにしよう。背たけの高い草木に囲まれる場所、積み上げた物のかげになる場所、しめ切った部屋などは風とおしがよくないので、さけてね。

ベランダはここをチェック！

ベランダにプランターを置くときは、次のことをチェックしよう。

室外機からは離す

エアコンの室外機がある場合は、なるべく離れた場所にプランターを置こう。

水の流れに注意

水やりした水は、排水口から流れていくよ。土がつまらないように、気をつけてね。ベランダに排水口がない場合は、右の写真のように、鉢皿や受け皿の上にプランターや鉢を置いて、水が受けられるようにしよう。

何を用意したらいいの？

野菜を育てるための道具を紹介するよ。おうちにある場合は、それを使ってね。
ない場合は、ホームセンターや園芸店、100円ショップなどで買えるよ。
おうちの人と相談しながら、そろえてね。

プランターや植木鉢

土を入れて野菜を育てるための容器だよ。いろいろな大きさや形があるので、育てる野菜のページを参考にして選んでね。プラスチックのものが、軽くて持ち運びしやすいよ。真夏のベランダの床は熱くなることがあるので、すのこや受け皿の上に置くといいよ。

スコップ（移植ごて・小さなシャベル）

プランターに土を入れたり、苗を植えつけたりするときに使うよ。砂遊び用のものでもOK。

土

土は、野菜づくり用の「培養土」や、「野菜の土」を使おう。土に肥料が混ぜこんであるので、そのままプランターに入れればOK。ホームセンターや園芸店、100円ショップで売っているよ。

ジョウロ

水やりに使うよ。水の勢いが強すぎると茎や葉がいたんでしまうので、ジョウロで静かに水やりしてね。新しく買う場合は、「はす口」といって、水の出口の目が細かくて、取りはずせるものが便利だよ。

肥料

追肥のための肥料も、野菜によっては必要だよ。肥料にもいろいろな種類があるけれど「N-P-K=8-8-8」と書いてある化成肥料は、どの野菜にも使えるよ（くわしくは86ページ）。

園芸用のハサミ

野菜のお世話や収穫をするための専用ハサミだよ。指を切らないように注意してね。

種や苗の選び方

種や苗を買いに行ったら、どこを見ればいいのかな？
選び方のポイントを覚えておこう。
95ページでオンラインショップも紹介しているよ。

種

種は、ふくろに入れて売られているよ。ふくろには、野菜の名前、まく時期、育て方などが書いてあるので、自分のまきたい時期と合っているかどうかは、必ず確認してね。そのほか、味、大きさ、色などの特ちょうも参考にしよう。

種のふくろの表がわ

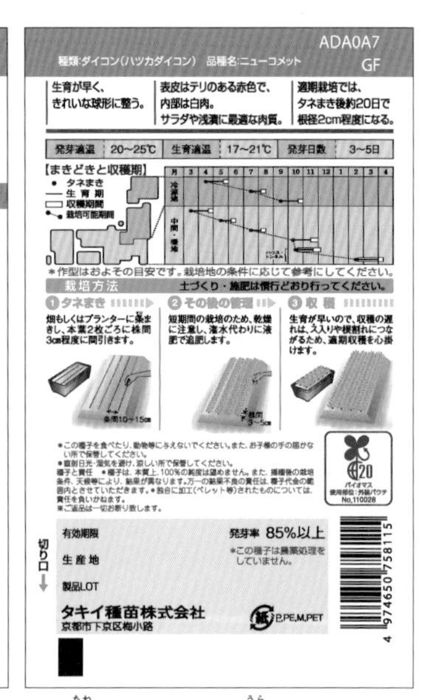

種のふくろの裏がわ

苗

茎がしっかりしていて、葉の緑色がきれいなものを選ぼう。黄色っぽい葉がついているもの、虫くいのあとがあるもの、弱々しいものは、さけてね。

あっという間にできる！

スピード野菜

はじめてでも育てやすい、
種まきや植えつけをしてから
収穫までの期間が短い野菜だよ。
つぎつぎに収穫できるものなら、
長い期間楽しめる。
成長が早いから、
毎日観察してみてね。

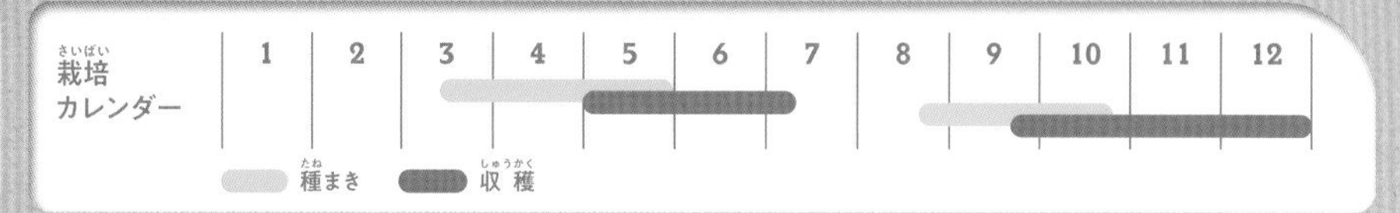

じょうぶで育てやすさはNo.1!

コマツナ

アブラナ科

どんな野菜?

葉を食べる野菜。暑さや寒さに強くて、じょうぶで育てやすいよ。みずみずしくて食べやすく、ビタミンCやカルシウムも豊富だよ。種まきから2週間で、間引き菜(ベビーリーフ)を収穫し、食べることができる。プランター1つで8～16株育てられるよ。

収穫までの日数(種まきから)

間引き菜＝約2週間後から
小さな株～大きな株＝約1か月後から

成長したときの大きさ

草たけ＝20～30cm

育てる場所

日当たりのよいところ

水やり

芽が出るまでは毎日、その後は土がかわいたらたっぷりと

おすすめ品種

葉が長い品種と丸い品種があるよ。暑さや寒さに強い丸い葉の『丸葉小松菜』『早生丸葉小松菜』などが育てやすいよ。

1. 種まき

みぞを2本作って種をまこう

細いぼうをおしつけて、種をまくみぞを作る。10～15cmの間かくをあけて2本作る。

みぞに種を1つぶずつ1cm間かくでまく。うすく土をかけたら、手のひらで軽くおさえて、プランターの下から水がしみ出すぐらい、たっぷりと水をやる。

ポイント

芽が出るまでは毎日かならず水をあげよう！

2. 間引き・追肥（肥料やり）

1回めの間引きから食べられる！

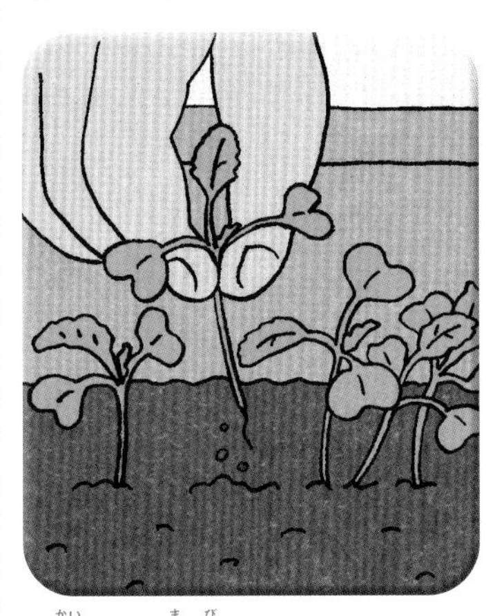

1回めの間引き

ふた葉が開き、本葉1～2枚のころに間引いて、3cm間かくにする。

2回めの間引き

本葉4～5枚のときに、5～6cm間かくにする。間引いたら、肥料約10g（料理用計量スプーンの小さじ1）を列と列の間にまいて、土と軽くまぜ合わせる。土が減っているようなら、新しい土を足す。

3. 収穫

小さな株から大きな株まで長く収穫できる！

草たけが20～30cmになったら

株元からハサミで切って収穫する。根元を持って引きぬいてもよい。のびたらつぎつぎと収穫できる。

根を切ってよく洗い、加熱してから食べる。間引きでとれた間引き菜は生でも食べられる。

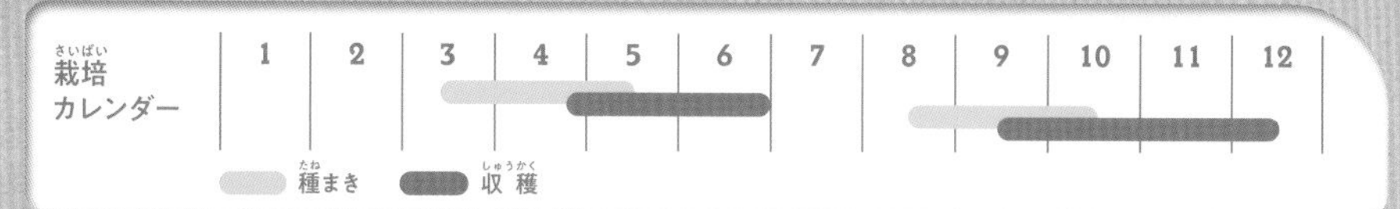

あっという間に育つミニダイコン

ラディッシュ

アブラナ科

どんな野菜？

根を食べる野菜。別名を「ハツカダイコン」というよ。ミニサイズのダイコンで、1か月たたないうちに収穫できちゃうんだ。赤くて丸い形のものがおなじみだけれど、白くて細長いもの、赤と白の2色のものなど、いろいろな品種があるよ。ビタミンCや、カロテン、カルシウムが豊富で、葉にも栄養があるよ。

収穫までの日数（種まきから）

約27〜30日

成長したときの大きさ

根の直径＝2〜3cm

育てる場所

日当たりのよいところ

水やり

芽が出るまでは毎日、その後は土がかわいたらたっぷりと

おすすめ品種

赤くて丸い形の『コメット』が育てやすいよ。白くて細長い形の『雪小町』という種類もあるよ。種類がまざった種をまいても楽しいね！

1.種まき

みぞを2本作って種をまこう

細いぼうをおしつけて、種をまくみぞを2本、作る。間かくは10~15cmあける。鉢の場合は、種をぱらぱらと全体にまく。

みぞに種を1つぶずつ、1cm間かくでまく。うすく土をかけたら、手のひらで軽くおさえて、プランターの下から水がしみ出すぐらい、たっぷりと水をやる。

2.間引き・追肥(肥料やり)

しっかり間かくをあけて間引こう

種まきから7~10日後

ふた葉が開いたら、元気のよい株を残して間引く。間かくは4~5cmあける。

ポイント

土の中でラディッシュがぶつかり合うと大きく育たないよ! 間かくはしっかりあけてね。

本葉4~5枚のとき

列と列の間に、肥料約10g(小さじ1)をまいて、土とまぜ合わせる。

3.収穫

根元が丸くふくらんだら収穫しよう

根がふくらむと、土の上に頭が見えてくる。直径が2~3cmにふくらんだものから、引きぬいて収穫する。

こうやって食べよう!

土をよく洗い、根と葉に分けてね。根は、そのまま食べられるよ。うぶ毛のある葉は、そのままだと食べにくいのでスープやみそ汁に入れよう。

葉の形も色もいろいろ！

リーフレタス

キク科

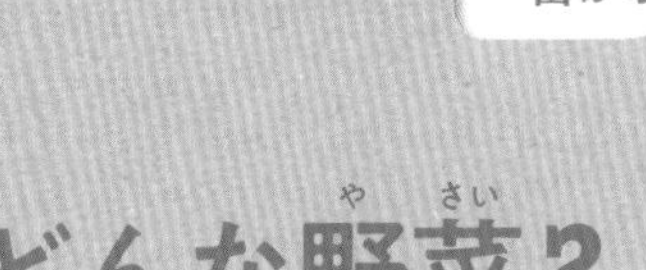

どんな野菜？

葉を食べる野菜。ふつうのレタスはボールのように丸くなるけれど、リーフレタスは丸くならないレタスだよ。育てやすいし、収穫もラクチン。ビタミンC、カロテン、ミネラルなど栄養もたっぷり。色は緑系と赤系があり、形もフリルのような葉やギザギザの葉など豊富だよ。

収穫までの日数（植えつけから）

約1か月後から

成長したときの大きさ

草たけ＝25～30cm

育てる場所

日当たりのよいところ

水やり

土がかわいたら葉にかからないように

おすすめ品種

葉の形が同じ、緑色の『グリーンインパルス』と赤い『レッドインパルス』を組み合わせると、レタスのお花畑のよう。写真のように、他の葉野菜とのミックスの苗もあるよ。

1. 植えつけ

苗を植えつけよう

スコップを使い、苗を植える穴をあける。20cm間かくで、3つあける(鉢の場合は1~2つ)。

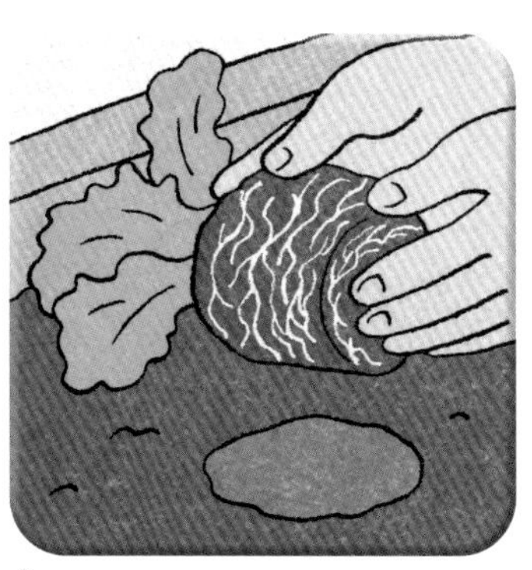

根をいためないように、ポットから土ごと、ていねいに苗を取り出す。

ポイント
前の日にポットの土に水やりをしてしめらせておくと、取り出しやすいよ！

穴に苗を置いて土をかけ、軽く手でおさえて安定させる。その後、たっぷり水をやる。

2. 追肥(肥料やり)

肥料をやって葉を増やす

植えつけの2週間後

草たけがのび、葉が増えてきたら、肥料約3g(ひとつまみ)を株元にまく。

葉の数が増えたら

葉のようすをチェックする。日が当たらず黄色くなった葉やかれた葉を見つけたら、取りのぞく。

3. 収穫

外側の葉から収穫して食べよう！

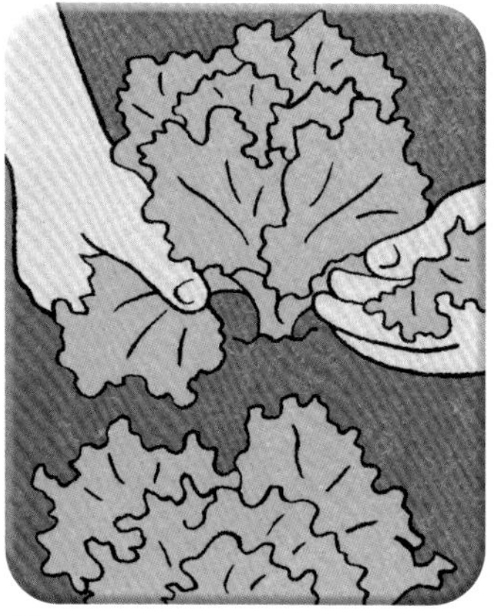

草たけが25cmくらいになったら

外側の大きくなった葉を3~4枚、手ではがして収穫する。ハサミで切ってもよい。残った株のまわりには、2週間に1回、肥料約3g(ひとつまみ)を追肥する。

ポイント
収穫した後も、追肥で成長をサポートしてね。

こうやって食べよう！

ちぎってサラダに入れてもいいし、さっとゆでたり、いためたりしてもおいしいよ。ためしてみてね。

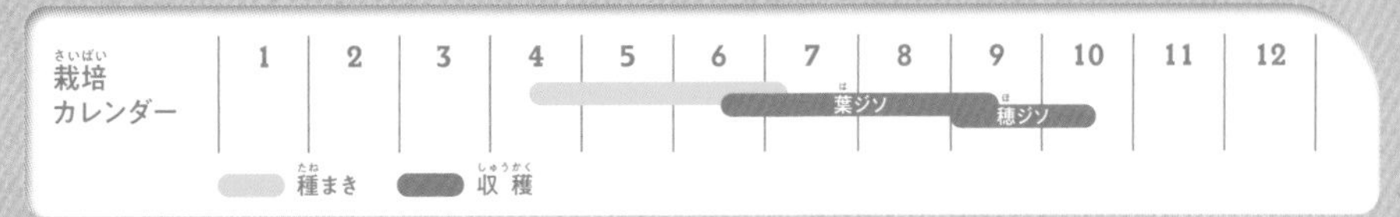

ひとつの株からいろいろなシソが収穫できる!?

シソ

シソ科

どんな野菜？

葉を食べる野菜。葉のほか、芽、花、実も利用できるスグレモノ。暑さに強く、育てやすいよ。「日本のハーブ」ともいわれ、独特の香りがするよ。香りには健康によい効果があるほか、防ふ作用といって食べ物のいたみを防ぐ効果もあるんだ。

収穫までの日数（種まきから）

芽＝約2～3週間後から
葉＝約2か月後から
穂や実＝約4～5か月後から

成長したときの大きさ

草たけ＝50～60cm

育てる場所

日当たりのよいところ

水やり

芽が出るまでは毎日、その後は土がかわいたらたっぷりと

おすすめ品種

緑色の品種では大葉とよばれる『青ジソ』、赤色の品種では『赤ジソ』が育てやすいよ。

1. 種まき

重ならないように種をまこう

プランターや鉢全体に、ぱらぱらと種をまく。種と種が重ならないように、1～2cmあける。

ふるいで、うすく土をかけ、軽く手のひらでおさえて、種と土をなじませる。手でうすくかけてもOK。その後、プランターの下から水がしみ出すぐらい、たっぷりと水をやる。

ポイント

シソの種は、光を感じて発芽するよ。土を厚くかけすぎると芽が出にくくなるので土はうすくかけてね！

2. 間引き・追肥（肥料やり）

間引き菜も食べられるよ！

1回めの間引き

ふた葉が開いたら間引きをして、3～4cm間かくにする。間引いた株は「芽じそ」として、食べられる。

2回めの間引き

本葉4～5枚のとき、間かくをあけて2～3株が残るように、間引く。間引いたら、プランター全体に肥料約10g（小さじ1）をまいて、土とまぜ合わせる。その後は、2週間に1回、同じように追肥する。

3. 収穫

少しずつ葉をつんで収穫しよう！

草たけが30cmくらいになったら

のびた茎の先をハサミで切って収穫する。まわりの葉を手でつんで収穫してもよい。

花の芽がついた穂、花が咲き終えてできた実もハサミで切って収穫する。間引き菜、葉、穂、実、どれもさっと洗ってサラダやおさしみにそえるとよい。

育てやすさ
やさしい

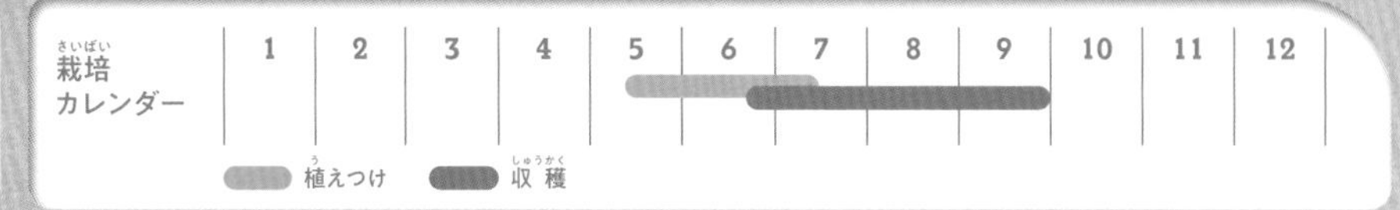

ピザやパスタには欠かせない！

バジル

シソ科

どんな野菜？

葉を食べる野菜。香りのよい「ハーブ」に分類されるよ。トマトとのあいしょうがばつぐんで、ピザやパスタなどのイタリア料理には欠かせない存在だ。

収穫までの日数（植えつけから）
約1か月半後から

収穫の目安の大きさ
草たけ＝20～30cm

育てる場所
日当たりのよいところ

水やり
根がつくまでは毎日、その後は土がかわきすぎないように

おすすめ品種
『スイートバジル』が育てやすいよ。

1. 植えつけ

苗を植えつけよう

鉢の中央に植え穴をあけ、苗を植えつける。土を足して苗を安定させ、たっぷり水をやる。

ポイント
植えつけ方は15ページも参考にしてね！

2. 摘心・追肥（肥料やり）

のびた茎の先たんを切ろう

草たけが20cmくらいになったころ

のびた茎の先たんを切り（摘心）、根元に肥料約3g（ひとつまみ）をまいて、土とまぜ合わせる。その後、2週間に1回、追肥する。

3. 収穫

使う分だけ収穫しよう！

7～8cmにのびたわき芽を収穫

茎や葉のつけ根から出る芽や枝（わき芽）がのび7～8cmになったら、使う分だけ葉をつんで収穫する。葉がかたくならないように、花の芽はつみ取り、ピザやサラダのトッピングに！

GWにはじめて、
夏休みに収穫できる！
夏野菜
ゴールデンウィークごろに
スタートすれば、
夏休みに収穫できる野菜だよ。
時間があるときに
じっくり取り組むこともできるし、
観察すれば
自由研究にもぴったりだね。

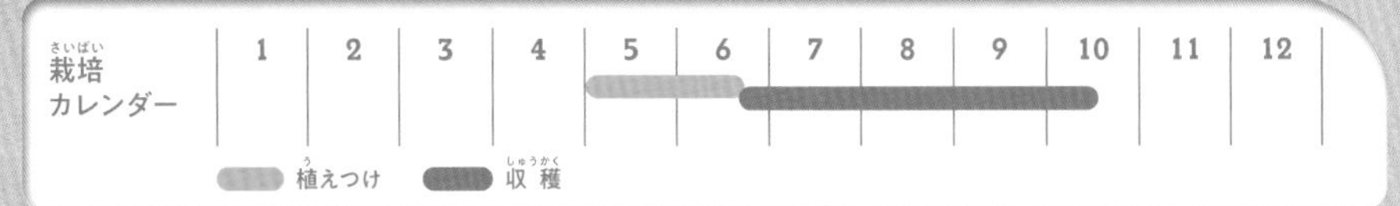

100個以上とれちゃうかも!?

ミニトマト

ナス科

どんな野菜?

実を食べる野菜。ミニトマトは、大玉トマトよりも育てやすくて、毎日のように収穫できる一口サイズのトマトだよ。色は赤のほか、黄色、オレンジ、黒っぽいものもあるし、形も丸いもの、少し細長いものなど種類もいろいろ。ビタミンCやカロテン、ミネラルが豊富だよ。順番に色づくので長く収穫できるし、1株で100個以上とれることも!

収穫までの日数(植えつけから)

約40~45日後

成長したときの大きさ

直径=3cmくらい

育てる場所

日当たりのよいところ

水やり

水は土がしっかりかわいてからやろう

おすすめ品種

赤くてプラムのような形の『アイコ』は、おいしくて育てやすく、実もたくさんつくよ!

1. 植えつけ

苗を植えつけて短い支柱を立てよう

葉が明るい緑色で、花かつぼみがついた苗を選ぶ。

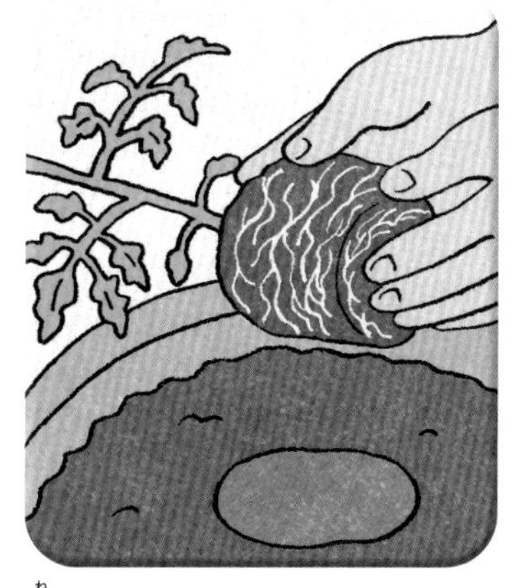

根をいためないように、ポットから土ごと、ていねいに苗を取り出す。前の日にポットに水をやり、土をしめらせておくと土がくずれずに取り出しやすい。

大きめの植木鉢（直径30cm以上）の中央に大きめの植え穴をあける。苗を置いて土をかけ、手で軽くおさえて安定させる。プランターの場合も大きめのもの（長さ70cm以上）を選び、間かくをあけて植えると日当たりや風とおしがよくなって病気を防げる。

苗の横に短い支柱を立て、苗と支柱を麻ひもで結びつける。

ポイント

ひもは「8」の字の形になるように茎にゆるく巻いてから、支柱にしっかりと結びつけよう。

2. わき芽取り

のびてきたわき芽を取りのぞこう

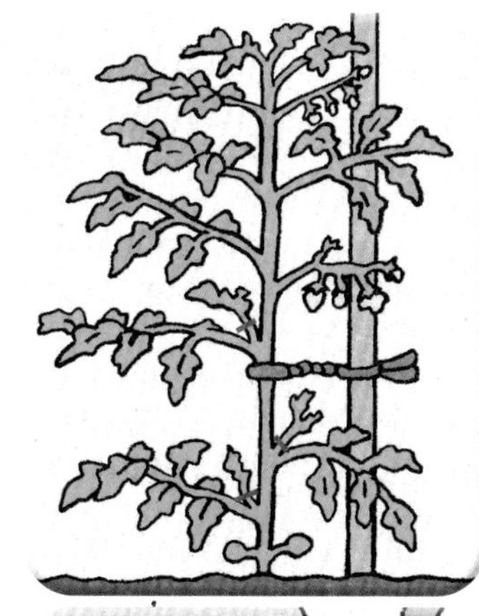

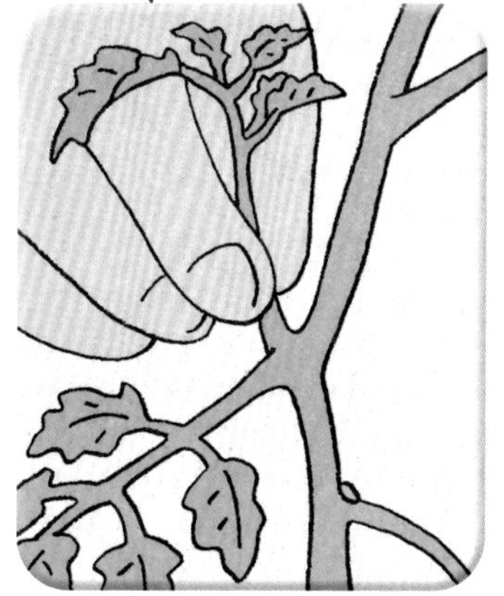

茎と葉の間から出たわき芽（新しい芽）を指でひねってつみ取る。そのままにしておくと成長が悪くなったり、病気になったりするので、見つけたらすぐに取りのぞく。

3. 支柱立て

長い支柱を立てよう

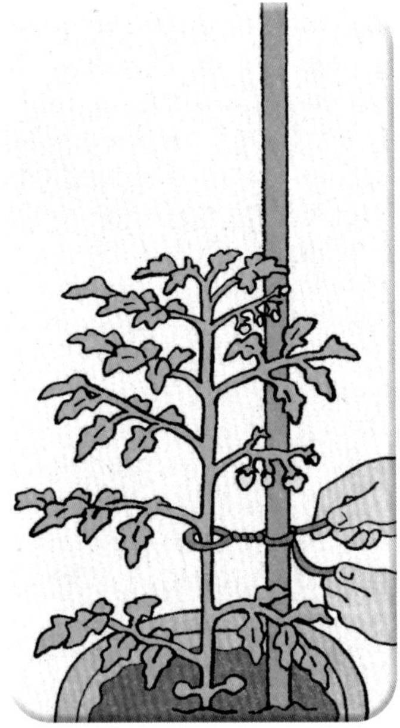

植えつけて2週間後

短い支柱はぬき、株の横に長い支柱をしっかりとさす。株が安定するように、まっすぐのびている茎と支柱を何か所か、麻ひもで結ぶ。茎がのびてきたら、のびた部分もひもで結ぶ。

ポイント

短い支柱を立てたときのように、ひもは「8」の字の形になるように巻き、茎にはゆるく、支柱にはしっかりと結ぼう。

4. 人工授粉

支柱をたたいて花粉を落とそう!

花が咲いた朝

確実に実がつくように、支柱をぼうでたたいて花粉を落とす。

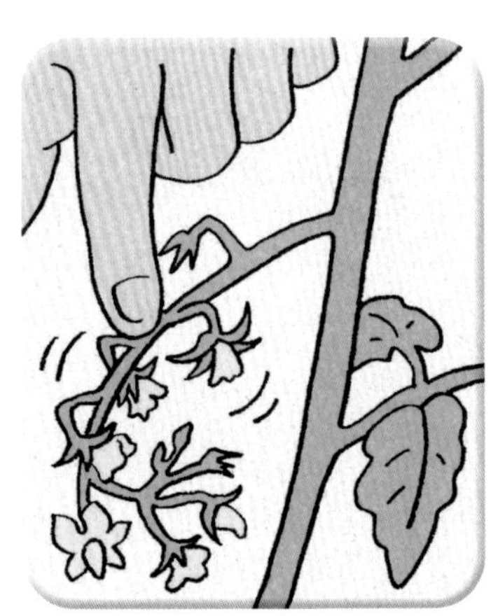

花が咲いた枝を指先で軽くはじいてもよい。

ポイント

作業は花粉が元気な朝のうちにしてね!

5. 追肥（肥料やり）

2週間おきに肥料をやろう

植えつけの2週間後

肥料約10g（小さじ1）を株元にまいて、土とまぜ合わせる。

その後は、2週間に1回、追肥をして、肥料が切れないようにする。土が減っているようなら、新しい土を足す。

6. 摘心

のびた茎の先を切ろう

草たけが支柱よりのびたら

のびた茎の先を切って、草たけの成長を止める。草たけの成長を止めると手入れがしやすくなり、実も大きく育つ。

7. 収穫

色づいた実から収穫しよう

植えつけて40〜45日後

ついた実のうち、しっかり色づいたものから順にへたをハサミで切り取って収穫する。

こうやって食べよう!

へたを取り、生のまま丸かじりがおいしい!たくさんとれたら、トマトジュースやソースにするのもおすすめだよ。

いろんな品種があるよ!

千果
育てやすくて人気

オレンジ千果
丸くてオレンジ色

レジナ
コンパクトで鉢植えにおすすめ

オレンジアイコ
オレンジでたてに長い形

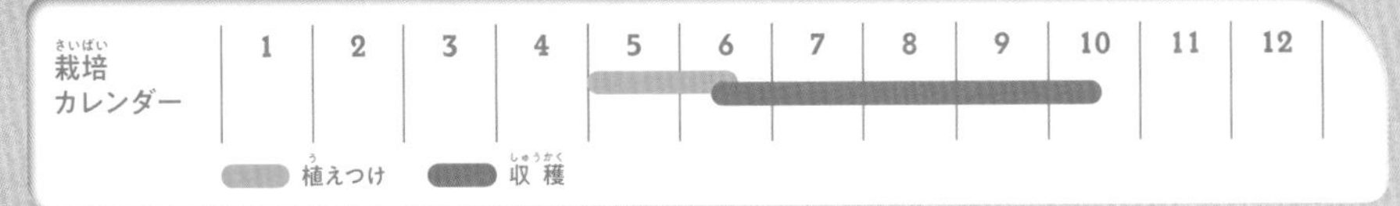

夏から秋の終わりごろまで長く実がつく！

ピーマン

ナス科

どんな野菜？

実を食べる野菜。ピーマンが緑色なのは、熟す前に収穫するからだよ。熟したピーマンの色は、赤。でも、赤くなるまでにはとても時間がかかるから、若い緑のうちにたくさん収穫して食べるのがおすすめ。そのほか、カラフルなピーマンもあるよ。ビタミンCをはじめ、カロテン、ビタミンEなどの栄養も豊富だよ！

収穫までの日数

開花して20～25日後から

成長したときの大きさ

実の長さ＝約6～7cm

育てる場所

日当たりのよいところ

水やり

かんそうに弱いので水やりはたっぷりと

おすすめ品種

緑色のピーマンなら、たくさん実がつく『京みどり』、苦みが少ない『こどもピーマン』が育てやすいよ。ミニサイズの『ぷちピー』も、カラフルで楽しいよ。

1.植えつけ

苗を植えつけ支柱を立てよう

茎がしっかりしていて、一番花（最初の花）か、つぼみがついた苗を選ぶ。

スコップで苗を植える穴をあける。ポットから土ごと、ていねいに苗を取り出して鉢やプランターに植えつける。

苗の横に支柱を立てる。

麻ひもを茎にはゆるく、支柱にはしっかりと結びつけたら、たっぷりと水をやる。

ポイント

ピーマンの茎は折れやすいので、支柱を立てて支えるよ。

2.整枝

枝を整理しよう

植えつけ2週間後

一番花のところとそのすぐ下の枝を2本だけ残し、それより下にある枝やわき芽（新しい芽）は、すべてつみ取る。

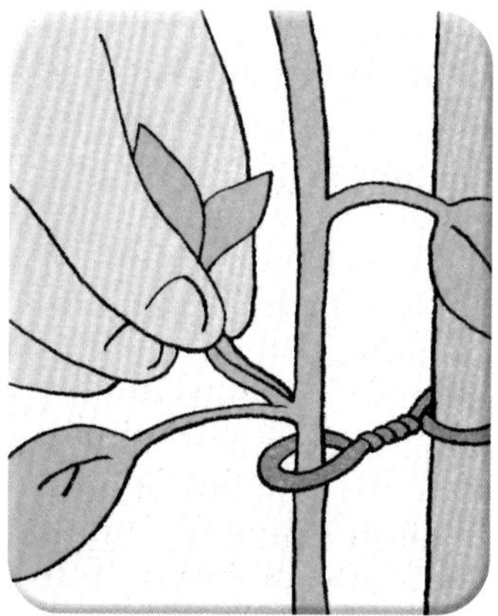

わき芽は、指でつみ取れる。

夏野菜

3.追肥（肥料やり）

2週間おきに肥料を足そう

植えつけの2週間後
肥料約10g（小さじ1）を株元にまいて、土とまぜ合わせる。土が減っているようなら、新しい土を足す。その後、2週間おきに追肥する。

ポイント
水と肥料をしっかりやると、大きく育つよ。かんそうする時期は、株全体に、シャワーのように水をかけてもいいよ。

4.収穫

育った実を収穫しよう

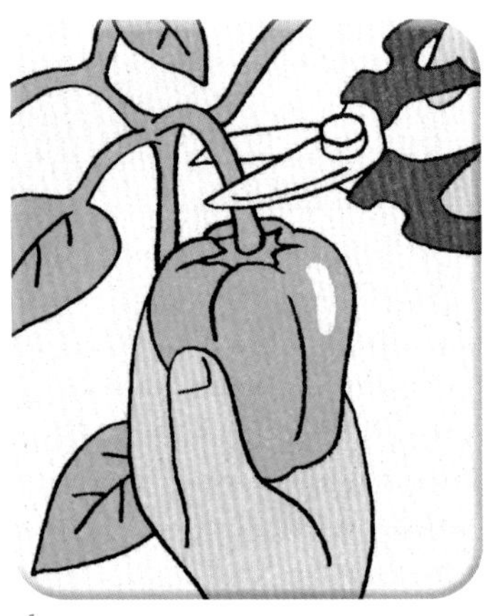

実が6~7cmになったら
へたをハサミで切って収穫する。3~4日おきに、1~2個を収穫できる。

こうやって食べよう！
切って種を取れば、生でも食べられるよ。油でいためると、においや苦みが気にならなくなるよ。

コラム

ピーマンの仲間を育ててみよう

ピーマンは、トウガラシの仲間。トウガラシには、からいものとからくないものがあり、ピーマンはからくないトウガラシだよ。パプリカ、シシトウなども、からくないトウガラシの仲間。育て方は、ピーマンと同じ。ぜひ、育ててみてね。

いろんな仲間がいるよ！

フルーピーレッドEX
甘くて厚みのあるパプリカ

フルーツパプリカ セニョリータ
平たくてかわいいミニサイズ

ししとう
やわらかくて緑が鮮やかな甘トウガラシ

甘とう美人
大きなタイプの甘長トウガラシ

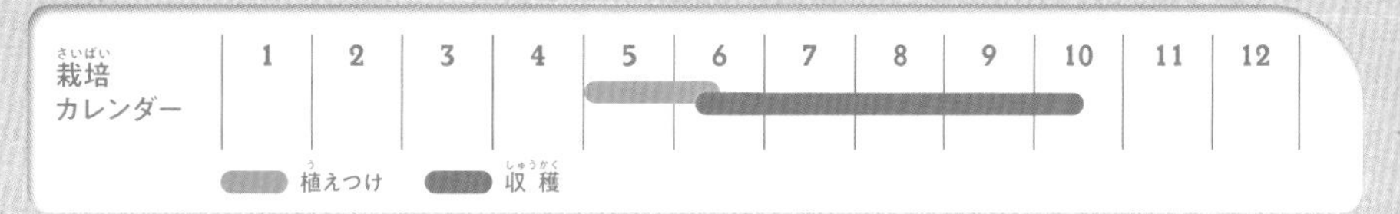

つやつやのこいむらさき色が光る

ナス

ナス科

どんな野菜？

実を食べる野菜。味にくせがないので、焼いたりいためたり、みそ汁に入れたり、いろいろな食べ方ができるよ。黒光りして見えるこいむらさき色は「ナス紺」と呼ばれているんだ。この色の正体は「ナスニン」という色素。ナスニンは、目にいいといわれているよ。

収穫までの日数

開花から20～25日

成長したときの大きさ

実の長さ＝約10～13cm

育てる場所

日当たりのよいところ

水やり

かんそうに弱いので水やりはたっぷりと

おすすめ品種

長いナス、丸いナス、白いナス、緑色のナスなどたくさんの品種があるよ。むらさき色の『黒福』は、元気に育つので、初めてのナスづくりに向いているよ。

1.植えつけ

スコップで穴をあけて苗を植える

本葉が7～8枚で、一番花（最初の花）が咲いているか、つぼみがついている苗を選ぶ。

短い支柱を立てよう

ポットから土ごと、ていねいに苗を取り出して鉢やプランターに植えつける。短い支柱を斜めにさしてひもで結んだら、たっぷりと水をやる。

8の字になるようにゆるく茎にひもをかけて支柱にしっかり結びつけてね。

2.整枝

枝を整理しよう

一番花（一番最初に咲いた花）の下のわき芽（新しい芽）2本をのばす。それより下にあるわき芽は、すべてつみ取る。

ポイント

わき芽は、指でつみ取れるよ。

3.支柱立て

長い支柱を立てよう

枝がのびてきたら

短い支柱はぬいて、株の横に長い支柱をさす。株がたおれないように、まっすぐのびている茎と支柱をところどころひもで結ぶ。

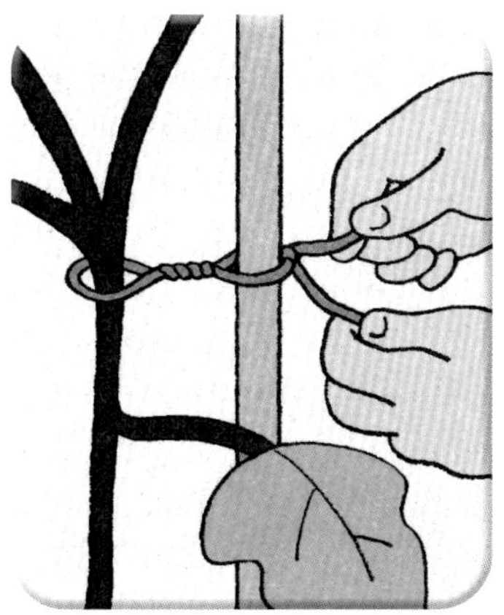

ひもが8の字になるように、茎にはゆるく、支柱にはしっかりと結びつける。

4.追肥（肥料やり）

2週間おきに肥料を足そう

植えつけの2週間後

肥料約10g（小さじ1）を株元にまいて、土とまぜ合わせる。土が減っているようなら、新しい土を足す。その後、2週間おきに追肥する。

かんそうしないように、たっぷり水をやる。葉には水をスプレーしてしめらせておくと、ハダニ（ナスによくつく害虫）がつきにくくなる。

5.収穫

小さめの実から収穫スタート

初めての実が7～8cmになったら

最初の実のつけ根をハサミで切って収穫する。その後は、10cmくらいになったところで収穫する。へたにとげがあるので注意する。

こうやって食べよう！

焼いてもいいし、スープやみそ汁に入れてもいいね。スープやみそ汁にはナスニンがとけ出しているよ。全部飲みきって、栄養をとろう。

ごはん代わりにもなるエネルギー野菜！

トウモロコシ

イネ科

どんな野菜？

実を食べる野菜。スイートコーンは、甘みもたっぷり。大きくなる前の若い実を収穫したものが「ヤングコーン」で、「ポップコーン」も、もとはトウモロコシだよ。

収穫までの日数

ヤングコーン＝植えつけから50日後
トウモロコシ＝人工授粉をして20～25日後

成長したときの大きさ

草たけ＝150～180cm

育てる場所

日当たりのよいところ

水やり

土がかわきすぎないようにたっぷりと

おすすめ品種

ヤングコーンは、どの品種でもだいじょうぶ。スイートコーンなら『おひさまコーン88』『しあわせコーン』、ポップコーンなら爆裂種の『イエローポップ』『まるポップ』を育ててみてね。

1.植えつけ

元気な苗を植えつけよう

大きめの植え穴を20~25cm間かくで3つあけ、苗を植えつける。ポットに苗が2本以上あるときは間引きをして、いちばん元気のよい1本を植えつける。

ポイント

プランターを2つ並べると、実がつきやすくなるよ。品種が違うものを並べると味が変わってしまうので、必ず同じ品種の苗を植えてね。

もうひとつのプランターも同じように植えて並べ、たっぷり水をやる。

2.追肥(肥料やり)

2週間に1回、肥料をやろう

植えつけて2週間たったら

株と株の間に肥料約10g(小さじ1)をぱらぱらとまいて、土とまぜ合わせる。その後は、2週間に1回、追肥する。土が減っているようなら、新しい土を足す。

3.支柱立て

支柱で株を支えよう

1回めの追肥をしたころ

風で株がたおれないように支柱を立て、株を麻ひもで結んでから、支柱にもしっかりと結ぶ。

4.人工授粉

雄花を切り取り、雌花に花粉をつけよう

株のてっぺんに雄花が咲き、その後、下にもじゃもじゃとしたひげ(絹糸)がある雌花が咲く。

雌花が咲いたら、てっぺんの雄花を切り取り、雌花をかるくたたくようにして、花粉をつける。

5. ヤングコーンの収穫

いちばん上の実を残して収穫しよう

トウモロコシは、いちばん上の実を大きく育てて収穫するので、その下にできた実を収穫する。

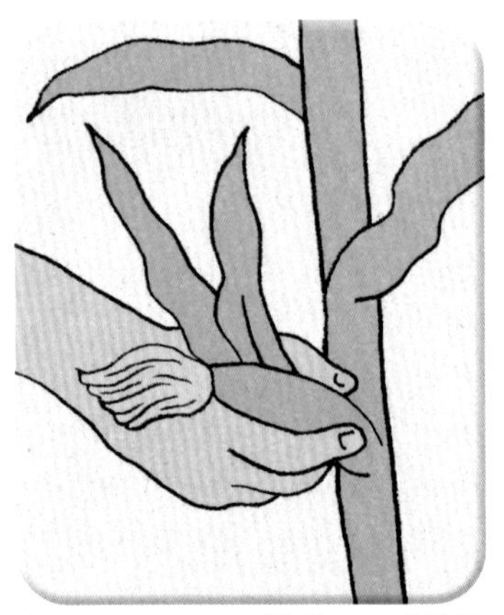

植えつけから50日後ごろ、収穫した実がヤングコーン。

こうやって食べよう！

ヤングコーンのひげと皮を取り、ゆでたりいためたりすると、シャキシャキしておいしいよ！

6. 収穫

ひげが茶色くなってきたら収穫しよう

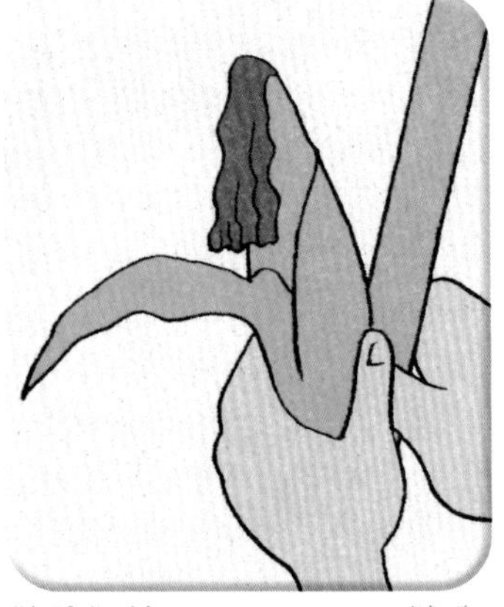

人工授粉をして20～25日後残した実のひげが茶色くなってきたら、つけ根から下にたおすようにして、もぎ取る。

こうやって食べよう！

スイートコーンは、ひげと皮を取り、ゆでて丸かじりが最高！

おひさまコーン88

甘くて88日で収穫できる

ポップコーンの作り方

収穫した爆裂種のトウモロコシの皮をバナナのようにむき、風とおしのよい場所に2～4週間干して、かんそうさせる。

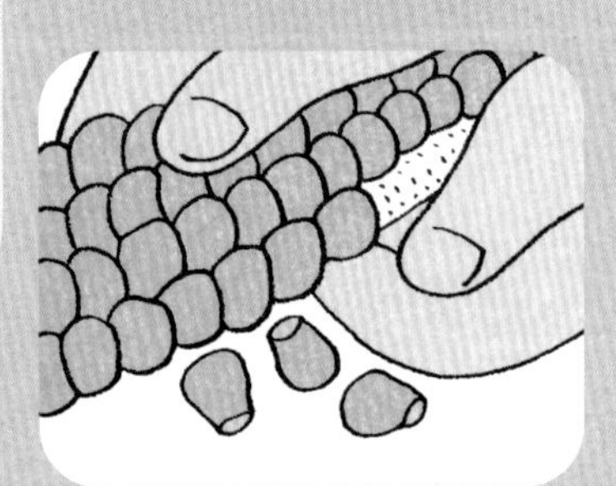

かんそうさせたトウモロコシの実を、手ではずす。ゴミなどは取りのぞく。

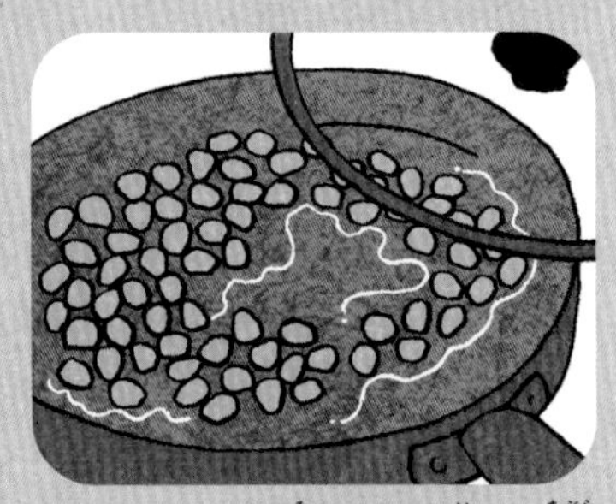

フライパンに実25gを入れ、油（大さじ1）を回しかけてふたをし、中火にかける。ポンポンとはじける音がしてきたら、フライパンを軽くゆする。はじける音がしなくなったらできあがり。

かんたん・かわいい！
ミニ野菜
プランターで育てやすく、
見た目がとってもかわいい野菜。
小さいから場所もとらないし、
食べきりサイズで
お料理に使うのも楽しいね。

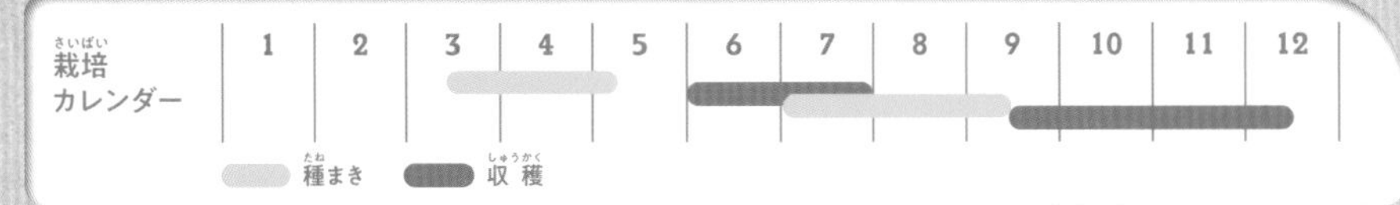

カロテンの量はトップクラス

ミニニンジン

セリ科

どんな野菜？

根を食べる野菜。特ちょうは、なんといってもあざやかなオレンジ色。カロテンという色素の色で、ふくまれている量は野菜の中でもトップクラス。体にいいよ。大きく育つまで少し時間がかかるけれど、間引き菜も食べられるのがうれしいね。

収穫までの日数（種まきから）

間引き菜＝約4週間後から
成長した株＝約70日後から

成長したときの大きさ

根の太さ＝1.5～2cm

育てる場所

日当たりのよいところ

水やり

かんそうに弱いので、毎日たっぷりと

おすすめ品種

きれいなオレンジ色の『ピッコロ』や『ベビーキャロット』が、育てやすいよ。ボールのような丸い形の『ワンディッシュ』もかわいいよ。

1. 種まき

種をまいて うすく土をかけよう

細いぼうをおしつけて、種をまくみぞを2本、作る。間かくは、10〜15cmあける。

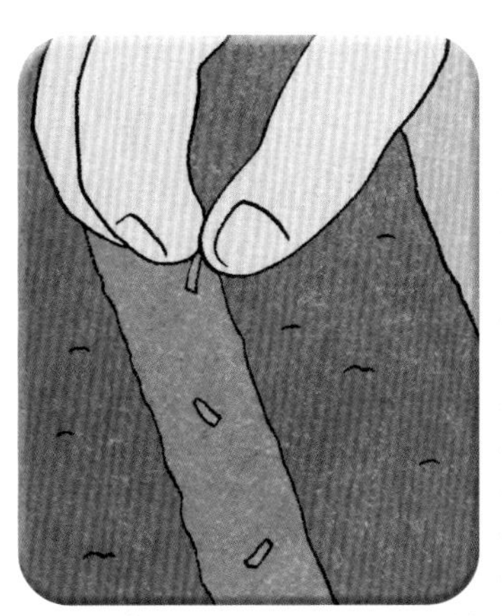

みぞに種を1つぶずつ、1cm間かくでまく。うすく土をかけたら、手のひらで軽くおさえて、プランターの下からしみ出すぐらい、たっぷりと水をやる。

ポイント

土をあつくかけると芽が出にくくなるのでうすくかけてね!

2. 間引き・追肥（肥料やり）

間引いて 間かくをあけていこう

1回めの間引き

本葉1〜2枚のとき、2〜3cm間かくに間引く。その後、肥料約10g（小さじ1）を列と列の間にまいて、土とまぜ合わせる。

2回めの間引き

本葉が3〜4枚になったら、2回めの間引きをして、6cm間かくにする。間引き後、肥料約10g（小さじ1）を列と列の間にまいて、土とまぜ合わせる。間引き菜は、葉も根も食べられる。

3. 収穫

根が太ってきたら 収穫しよう!

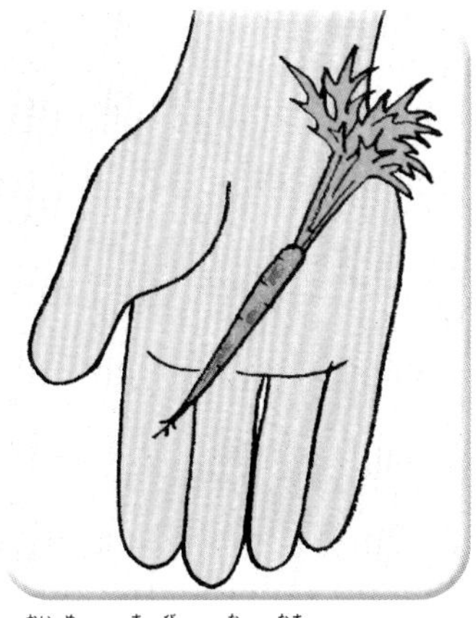

2回目の間引き菜。生でもゆでても食べられる。

根の太さが1.5〜2cmになったら、株元を持って引きぬいて収穫する。

こうやって食べよう!

根はよく洗って生で食べても甘くておいしいよ! 葉はゆでて、おひたしがおすすめ。

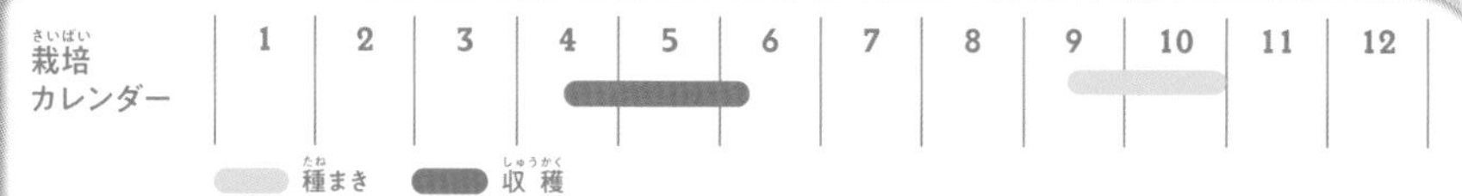

冬の寒さでまあるく育つ

ミニタマネギ

ヒガンバナ科

どんな野菜？

葉を食べる野菜。タマネギは土の中で育つけれど、食べているのは、根ではなく葉なんだ。正確には「りん葉」または「りん茎」といって、葉の一部が変形したものだよ。次の年に芽を出すための栄養をためる部分だ。タマネギを切ったときのツーンとしたにおいとからみのもとは、硫化アリルといって、血液をサラサラにする効果があるよ。

収穫までの日数（種まきから）

約7～8か月

成長したときの大きさ

球の直径＝3～4cm

育てる場所

日当たりのよいところ

水やり

種まきの後から、水を毎日たっぷりやろう

おすすめ品種

『ソニック』『浜育』は、病気に強くて育てやすい品種だよ。

1. 種まき

種をまこう

細いぼうをおしつけて、種をまくみぞを2本、作る。間かくは、10~15cmあける。

みぞに種を1つぶずつ、1cm間かくでまく。うすく土をかけたら、手のひらで軽くおさえて、プランターの下から水がしみ出すぐらい、たっぷりと水をやる。

ポイント

2回め以降の間引き菜は、やわらかい緑の葉も食べられるよ。

2. 間引き・追肥（肥料やり）

間引いた株も食べよう！

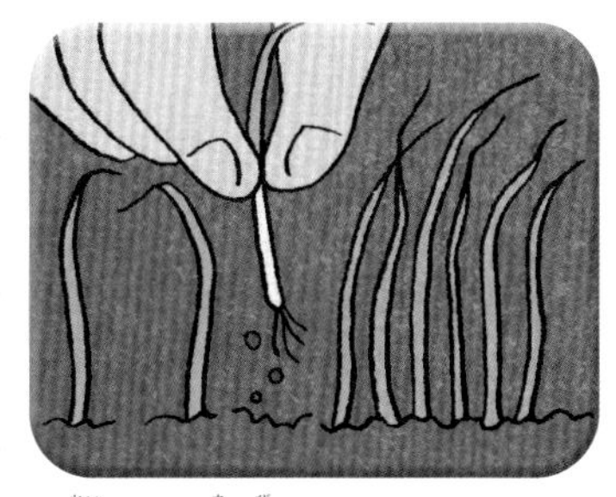

1回めの間引き

草たけ3~4cmのとき、2~3cm間かくになるように、1回めの間引きをする。

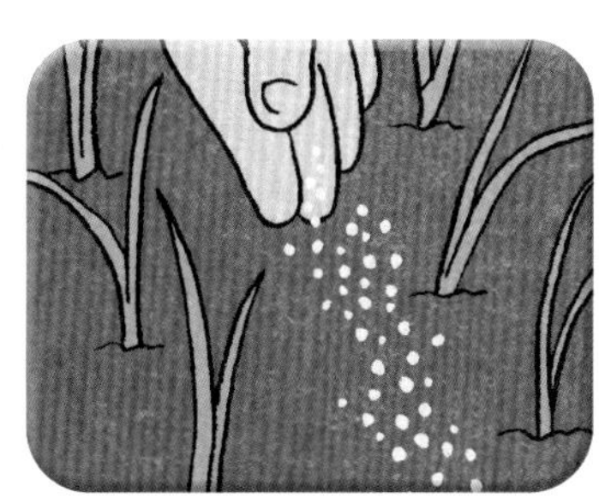

2回めの間引き

草たけ7~8cmのとき、5cm間かくになるように、2回めの間引きをする。肥料約10g（小さじ1）を列と列の間にまいて、土とまぜあわせる。

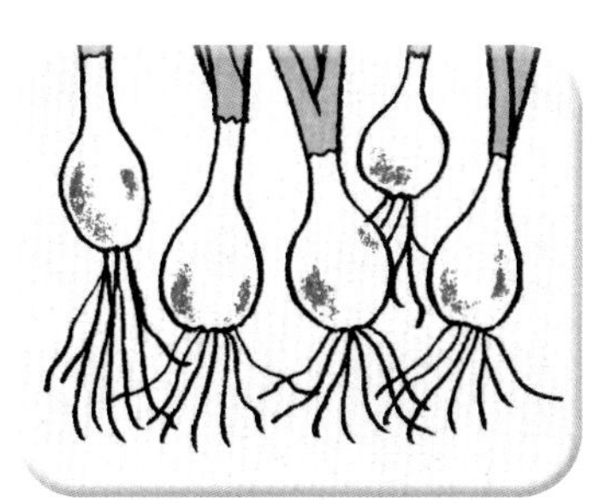

その後も、2週間に1回、追肥する。株がこみ合ってきたときは間引きをして、5cm間かくを保つ。

3. 収穫

直径3~4cmで収穫しよう

土の上からも丸くふくらんだ様子がわかる。

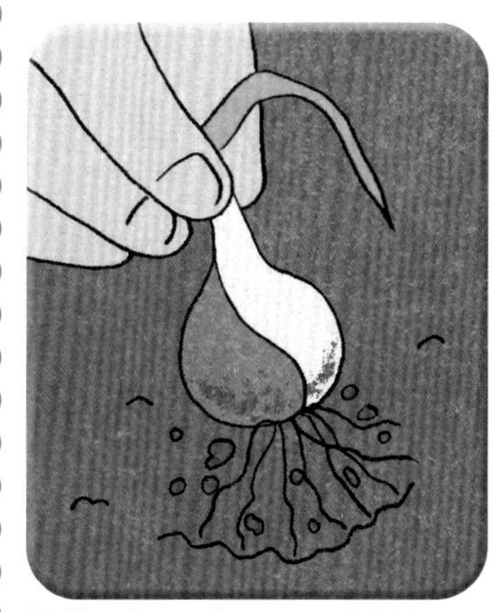

株元を持ち、引きぬいて収穫する。

こうやって食べよう！

緑の葉は切り落とし、外の皮をむいてね。うすくスライスすれば生でも食べられるし丸ごとスープやシチューに入れてもいいね。

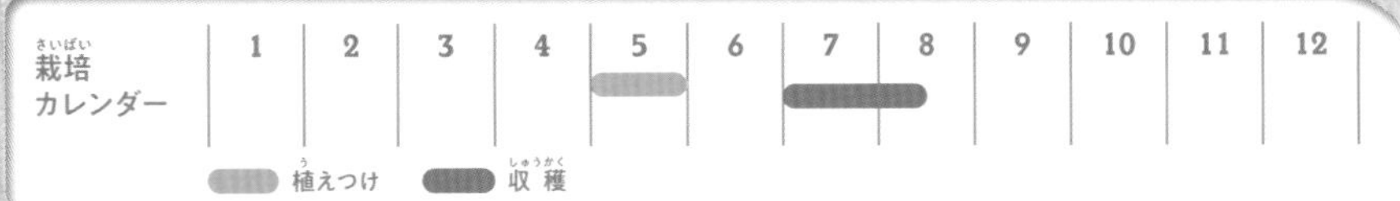

保存しておける便利野菜！

ミニカボチャ

ウリ科

どんな野菜？

実を食べる野菜。重さは、ふつうのカボチャの半分のそのまた半分で、400～500gくらいだよ。ほんのりとした甘みがあって、カロテン、ビタミンC、ビタミンEなど、いろいろなビタミンがふくまれているよ。厚い皮におおわれているので、しぼんだりせずに保存できる。1か月くらいおいたほうが甘みが増すよ。

収穫までの日数（植えつけから）

約2か月

成長したときの大きさ

重さ＝400～500g

育てる場所

日当たりのよいところ

水やり

土がかわいたら、たっぷりやろう

おすすめ品種

甘くてホクホクした味が好みなら『栗坊』、保存しておいて使いたいなら『白い坊ちゃん』がぴったり。形がユニークなおもちゃカボチャも、楽しいよ。

1.植えつけ

苗を植えつけよう

つるをのばすため、大きめの植木鉢（30cm以上）を選ぶ。中央にスコップで穴をあけ、ポットから土ごと取り出した苗を植えつけて、水をたっぷりやる。

2.支柱立て

あんどん型の支柱を立てよう

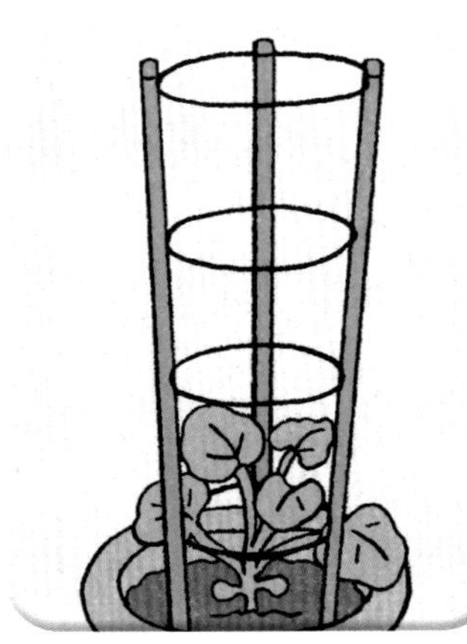

つるがのびてきたころ、あんどん型の支柱を立て、のびるたびにつるを麻ひもで支柱に結びつける。

3.摘心

つるを整えよう

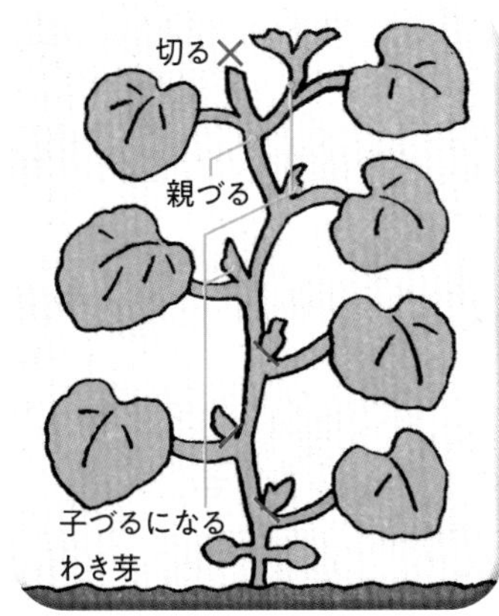

本葉が6～7枚のとき、親づるの先たんを切る（摘心）。親づるからのびる子づるは上の3～4本を残し、ほかはつけ根から切る。

4.人工授粉

雌しべに花粉をつけよう

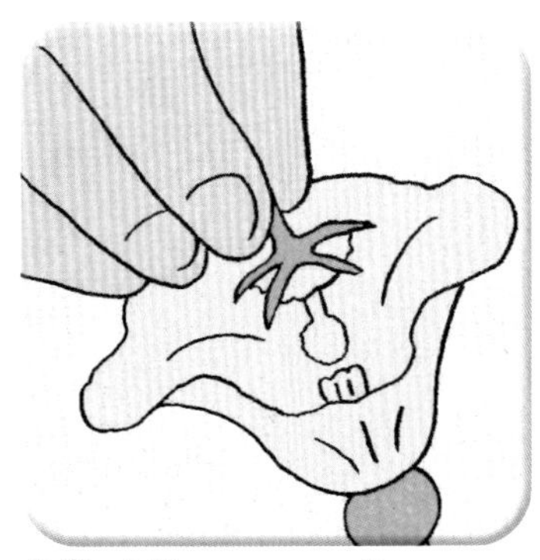

雌花（根元のふくらみが目じるし）が咲いたら朝9時までに、雄花の花びらを取り、雄しべの花粉を雌花の雌しべにつける。人工授粉をした日をカレンダーに書いておく。

5.追肥（肥料やり）

肥料をやって実を大きくしよう

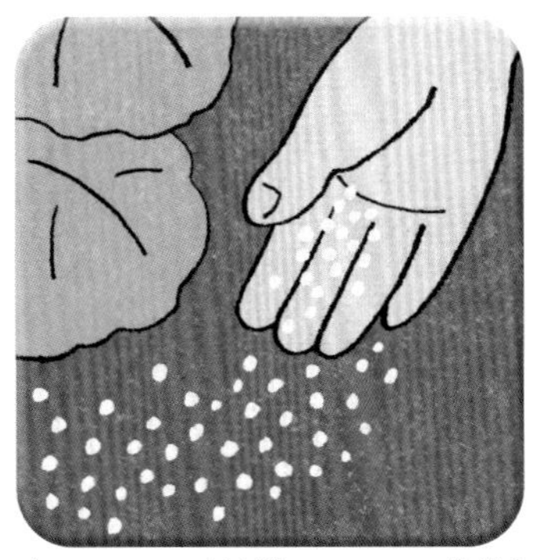

植えつけて2週間たったら、肥料約10g（小さじ1）を株元にまいて、土とまぜ合わせる。その後、2週間に一度、追肥する。

6.収穫

へたをハサミで切って収穫しよう

人工授粉から35～40日たったら、へたを切って収穫する。

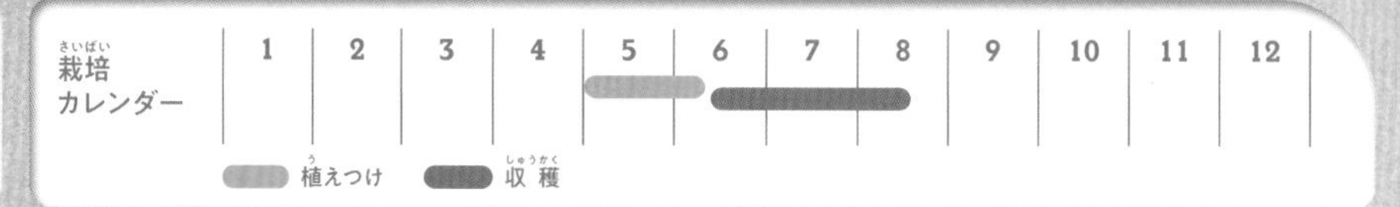

目に見える毎日の成長が楽しみ！

ミニキュウリ

ウリ科

どんな野菜？

実を食べる野菜。水分たっぷりのみずみずしさと、パリッとした歯切れのよさが、みりょくだよ。もぎたてをかじると、ほんのりした甘さも感じるはず。キュウリの丸かじりは、汗をかいたときの水分補給にも、ぴったり。花が咲いた後、ぐんぐん大きくなり、1週間くらいで収穫できるんだ。

収穫までの日数（植えつけから）

約1か月後から

成長したときの大きさ

実の長さ＝約10cm

育てる場所

日当たりのよいところ

水やり

土がかわいたらたっぷりと

おすすめ品種

大きなキュウリがミニサイズになった『リル』、ふさのように実がつく『ラリーノ』、5～6cmで収穫できる『ピコQ』は、病気にも強くて育てやすいよ。

1.植えつけ

よい苗を選び植えつけよう

本葉3～4枚で、がっしりとした苗を選ぶ。

大きめの鉢やプランターに、苗を植える穴をあける。根をいためないように、ポットから土ごと、ていねいに苗を取り出し、穴に苗を置く。土をかけて軽く手でおさえたら、鉢の底からしみ出すくらいたっぷりと水をやる。

2.整枝・支柱立て

支柱を立てて葉を整理しよう

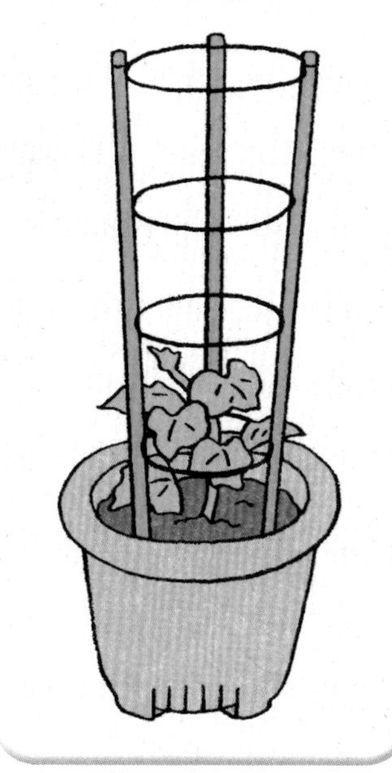

あんどん型の支柱を立てる。

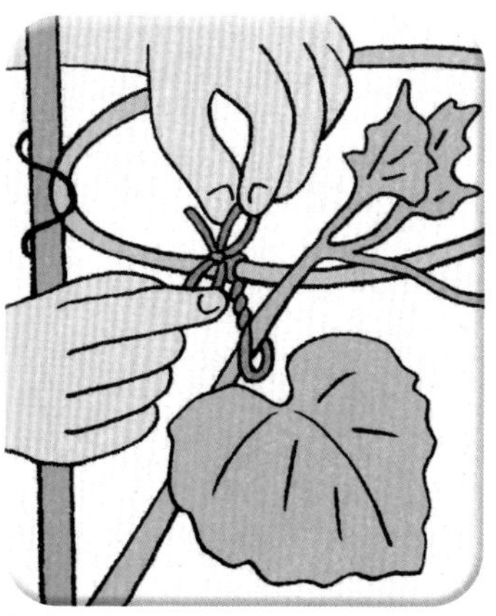

主枝（まっすぐ上にのびる茎）を、支柱に麻ひもでゆるく結びつける。主枝がのびてきたら支柱にぐるりとからませ、ところどころ、ひもで結ぶ。

下から数えて5枚めまでの本葉のつけ根から出ているわき芽（新しい芽）と雌花をすべてつみ取る。つるをしっかりのばして日当たりや風とおしをよくする。

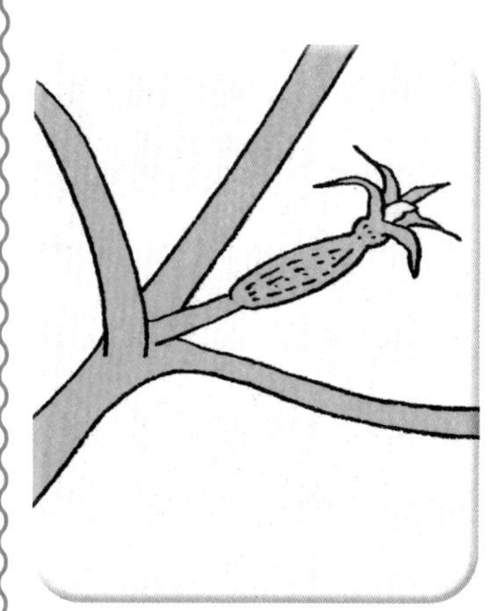

ポイント

雌花は、花のつけ根がふくらんでいるよ。目じるしにしてね。

3.追肥（肥料やり）

2週間おきに肥料をやろう！

株が成長してきたら
肥料約10g（小さじ1）を株元にまいて、土とまぜ合わせる。土が減っていたら、新しい土を足す。

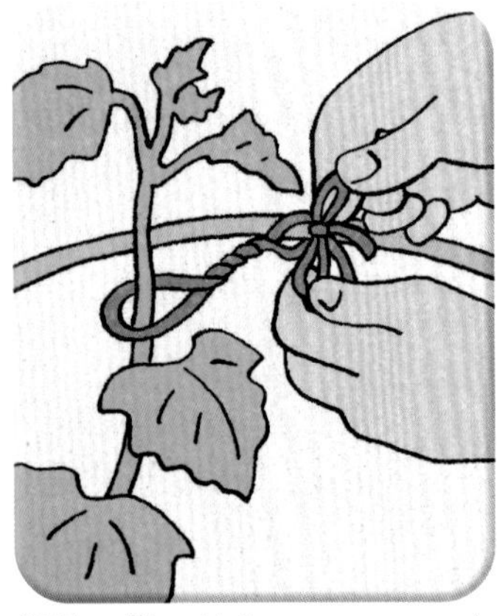

生育の早い主枝は、のびたら支柱にからませる。

ポイント

ひもは「8」の字の形になるようにゆるく支柱に巻こう。

4.収穫

長さ10cmくらいになったら収穫しよう

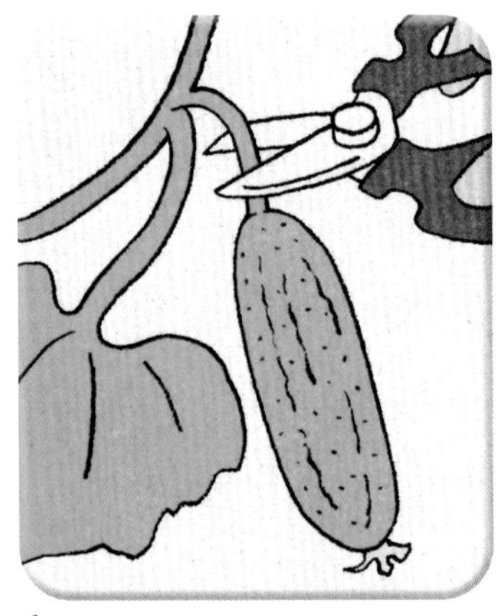

実が10cmくらいになったら、つけ根をハサミで切って収穫する。

ポイント

キュウリは、1日で2～3cm大きくなるよ。大きくなりすぎないうちに、早めに収穫してね！

こうやって食べよう！

いちばんおいしいのは、とりたての丸かじり。自分で育てたからこそ、できることだよ。サラダやサンドイッチ、つけ物もおいしいよ。

花を観察しよう

キュウリは、ひとつの株に雄花と雌花が両方咲くよ。花だけ見るとそっくりで見分けがつかないけれど、花のつけ根を見れば、すぐに分かるんだ。

どっちが雄花で、どっちが雌花？

答えはこちら！

これが雌花。41ページでも説明したように、雌花のつけ根には小さな実がついているよ。

一度は育てたい！

人気野菜

たくさんとれたら
うれしい人気の野菜。
そのままシンプルに食べたり、
いろんなお料理にも使えて便利。

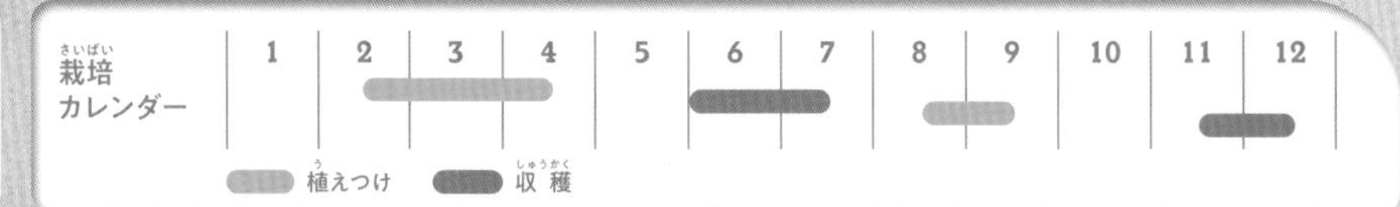

個性豊かな品種がずらり

ジャガイモ

ナス科

どんな野菜？

茎を食べる野菜。土の中で育つから「根」と思われることが多いけれどジャガイモは根ではなく、茎が太ったものだよ。土の中で、何個くらいのイモができるかは、ほり上げるまでのお楽しみ！デンプンが多いからごはんの代わりにもなるし、ビタミンCがとっても多くふくまれていて、お肌や健康にもいいよ。

収穫までの日数（植えつけから）

約3か月

成長したときの大きさ

100〜200g

育てる場所

日当たりのよいところ

水やり

土がかわいたらたっぷりと、葉が黄色くなってきたらひかえめに

おすすめ品種

形も色も、さまざまな品種があるよ。収穫できる量の多い『メイクイーン』、ビタミンCが多くてホクホクの『キタアカリ』が育てやすいよ。

1.植えつけ

種イモを植えつけよう

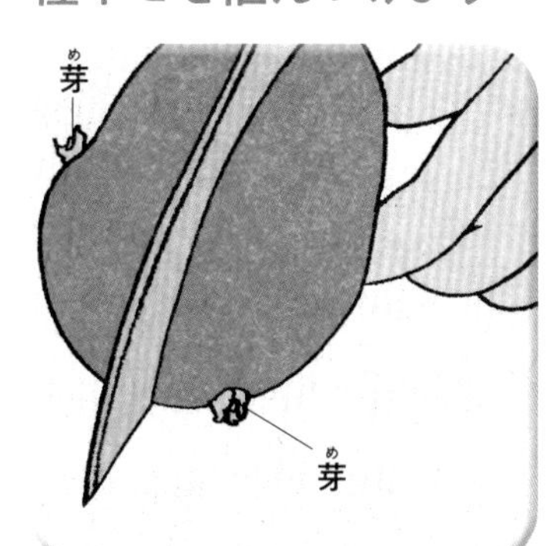

芽の数が同じになるように種イモを切って、切り口をかわかす。小さな種イモは、切らずに植えてもよい。食材として売られているイモは、ウイルス病の原因になる可能性があるので使わないこと。

プランターに半分くらい土を入れる。切り口を下にした種イモを、20cm間かくで置く。種イモの上からプランター全体に土を5~6cm足し、たっぷり水をやる。

ポイント

土が足りないと、イモの頭が地上に出て緑色になってしまうよ。緑色にならないように、深さ30cm以上の大きめのプランターを使い、たっぷり土を入れてね。

2.芽かき

芽を1本にしよう

芽が15cmくらいのとき

ひとつの株に元気のよい芽が1本になるように、ほかの芽をつけ根からハサミで切る。

3.まし土・追肥(肥料やり)

土と肥料を足そう

芽かきの後

肥料約10g(小さじ1)を株元にまいて土とまぜ合わせ、新しい土を10cm足す。花のつぼみがついたときにも、同じ作業をする。

4.収穫

株元を持って引き上げよう

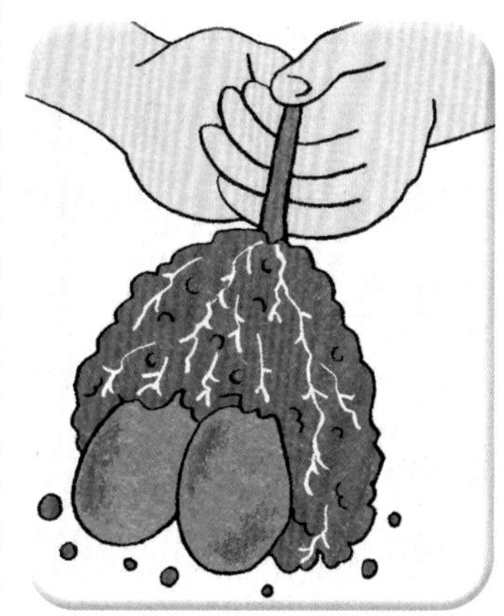

葉が黄色くかれてきたとき

株元を持って引き上げたら、ほり残しがないように、手で土の中を探って収穫する。収穫したイモは、そのまま風とおしのよいところに置き、かわかす。

こうやって食べよう!

しっかりかわかしたら、水でよく洗ってね。カレーや肉じゃがは、皮のまま使ってもOK! 緑色のところがあったら、必ず取りのぞいてね。

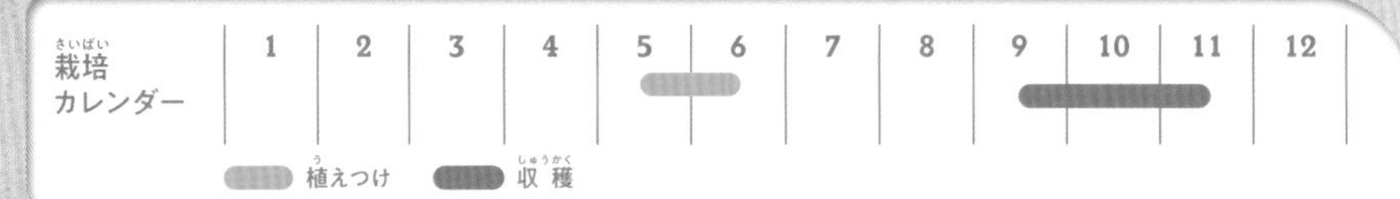

肥料が少なくてもよく育つ！

サツマイモ

ヒルガオ科

どんな野菜？

根を食べる野菜。サツマイモは、土の中で大きく太った根。肥料が少ない土地でもよく育ち、とてもじょうぶだよ。そのうえ、ひとつの苗からたくさんとれるんだ。デンプンのほか、ビタミンCやカロテンなどの栄養も満点。豊富にふくまれている食物せんいは、腸をきれいにする働きがあり、便秘に効果があるよ。

収穫までの日数（植えつけから）

5～6か月

成長したときの大きさ

中くらいのもの＝約200～250g
大きいもの＝約400～500g

育てる場所

日当たりのよいところ

水やり

植えつけから1週間ほどは毎日、その後は土がかわいたときに

おすすめ品種

中の色が黄色い品種なら『紅あずま』、むらさき色の品種なら『パープルスイートロード』が育てやすいよ。

1. 植えつけ

土に苗をさそう

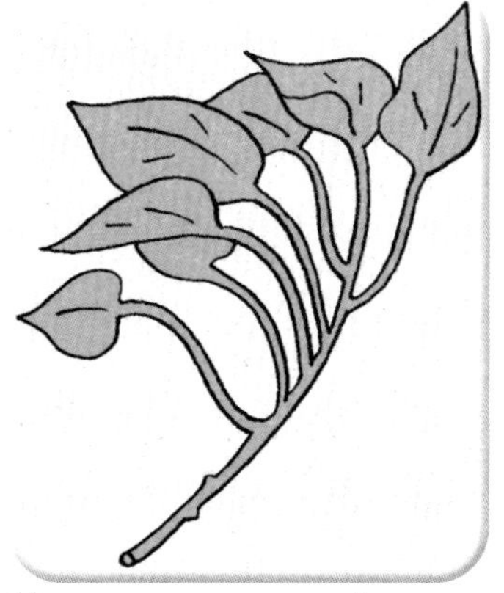

長さ30cmくらいで、葉が7～8枚ついた太い苗を選ぶ。

30cm以上の深さのある鉢やプランターに土を入れる。つるの先が鉢の外側を向くように、苗を少し斜めにさしこむ。土に細いぼうを斜めにさして、その穴に苗をさしこむようにするとよい。

2. つる返し

のびたつるをまとめよう

植えつけて60日くらいたったとき

つるが元気にのびてくるので…

つる先からくるくるとまるめて鉢やプランターの上にのせると、じゃまにならない。

ポイント

あんどん型の支柱を立てて、つるを巻きつけてもいいよ。その場合は、ところどころ麻ひもでゆるく結びつけてね。葉の色がうすくて元気がないときは肥料3～5g（ひとつまみ）を足すといいよ。

3. 収穫

つるを切ってほり上げよう

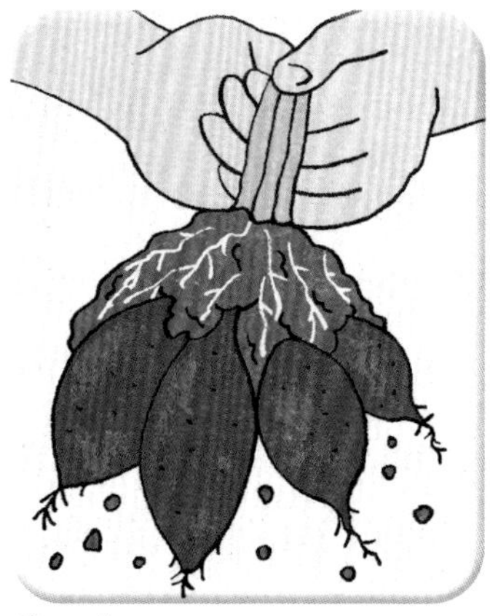

茎や葉が黄色くかれてきたとき

つるを短めに切る。残ったつるを持ち、ほり上げて収穫する。つるからイモをはずし、風とおしのよいところでかわかす。

こうやって食べよう！

収穫したばかりのイモは甘みが少ないので、3～4週間置いておくといいよ。皮をよく洗い、ゆっくりふかせば甘くてホクホクに！

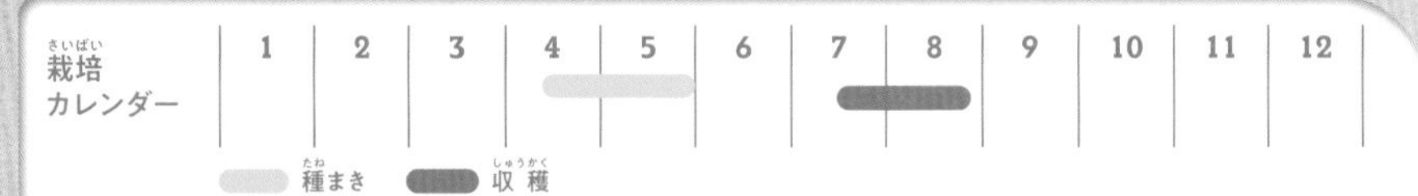

葉が出た後はスクスク育つ

エダマメ

マメ科

どんな野菜？

実を食べる野菜。エダマメは、ダイズになる前の若い実を収穫したもの。ダイズにふくまれるタンパク質のほか、ビタミンCなど、ダイズにふくまれていない栄養もあるんだ。とりたてがいちばんおいしく、「ゆでるお湯をわかしてから収穫に行け」といわれるくらいだよ。

収穫までの日数（種まきから）

80～90日

成長したときの大きさ

草たけ＝60～80cm

育てる場所

日当たりのよいところ

水やり

土がかわいたら、たっぷりやろう

おすすめ品種

栽培期間によって品種が分かれているよ。育てやすいのは、短い期間で収穫できる早生種。『あじみのり』『おつな姫』は、甘みがこく、さやのつきもいいよ。

1. 種まき

まき穴を3つあけ種をまこう

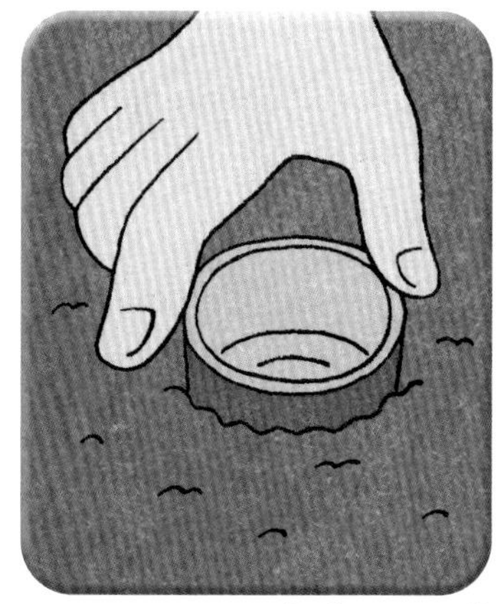

びんのふたなどで、直径5cm、深さ1cmのまき穴を3つあける。まき穴の間かくは、20cmにする。

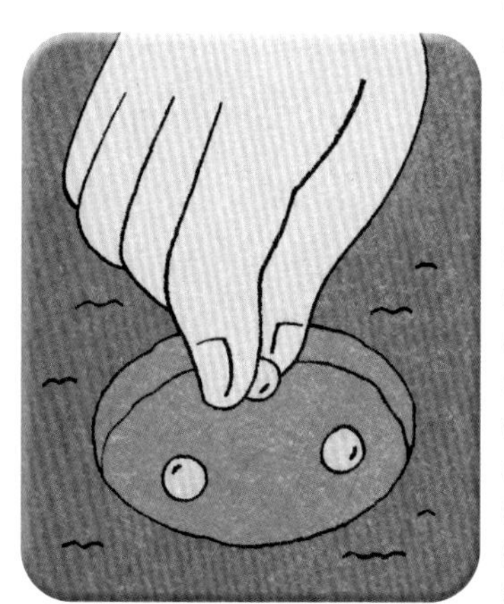

まき穴に、種を3つぶずつまく。土をかけて、手のひらで軽くおさえたら、たっぷりと水をやる。

ポイント

種は鳥に食べられてしまうことがあるので、鳥よけにネットなどを張ると安心だよ（87ページを見てね）。

2. 間引き・追肥（肥料やり）

1か所2株に間引こう

ふた葉の次の葉（初生葉という）が開いたら、1本間引いて、1か所につき元気のよい2株を残す。

植えつけの1か月後

株元に肥料約10g（小さじ1）をまき、土とまぜ合わせる。土が減っているようなら、新しい土を足す。株がぐらつく場合は、支柱を立てて麻ひもで結びつける。花が咲いたころに、もう一度、肥料を追加する。

3. 収穫

さやをハサミで切ろう

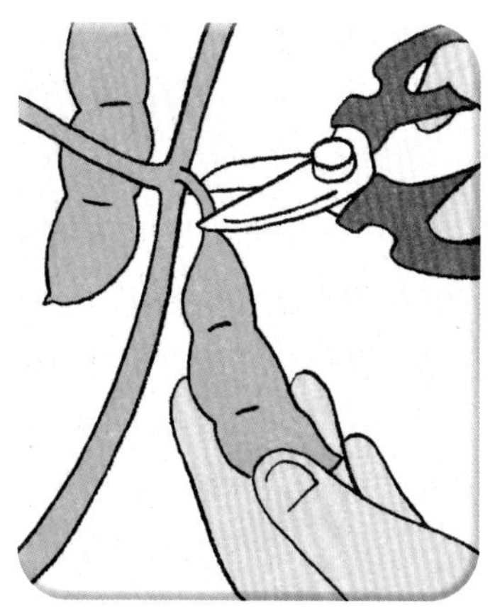

さやがふくらんだとき

1つずつハサミでさやを切り取る。

人気野菜

こうやって食べよう！

水洗いしたさやのうぶ毛を塩でこすって取り、熱湯で2～3分ゆでてね。ゆですぎないほうが、おいしいよ！

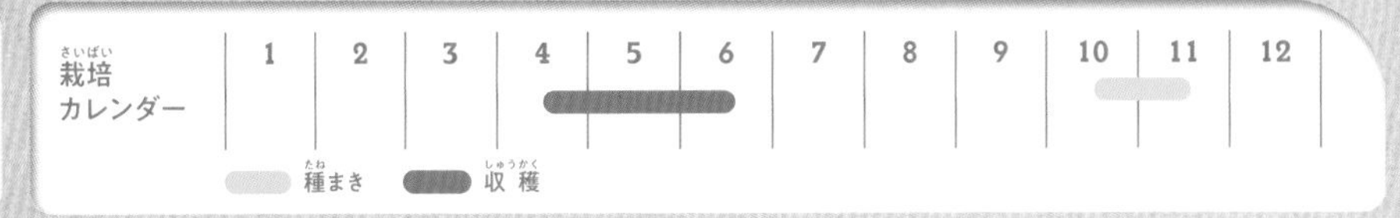

種から

さやもマメも食べられる！

スナップエンドウ

マメ科

どんな野菜？

実を食べる野菜。さやは厚みがあって、マメはぷっくりのスナップエンドウ。エンドウには、マメがふくらまないうちにさやだけを食べる「サヤエンドウ」、ふくらんだ実だけを食べる「実エンドウ」、さやと実の両方を食べる「スナップエンドウ」があるよ。サヤエンドウと実エンドウ、両方のいいとこどりをしているのがスナップエンドウなんだ。

収穫までの日数（種まきから）

約6か月

成長したときの大きさ

草たけ＝150～180cm

育てる場所

日当たりのよいところ

水やり

表面の土がかわいたらたっぷりと

おすすめ品種

スナップエンドウはどれも育てやすいよ。『スナック753（しちごさん）』は甘さがばつぐん、『グルメ』は長めのさやがたくさんつくよ。

1. 種まき

まき穴をあけて種をまこう

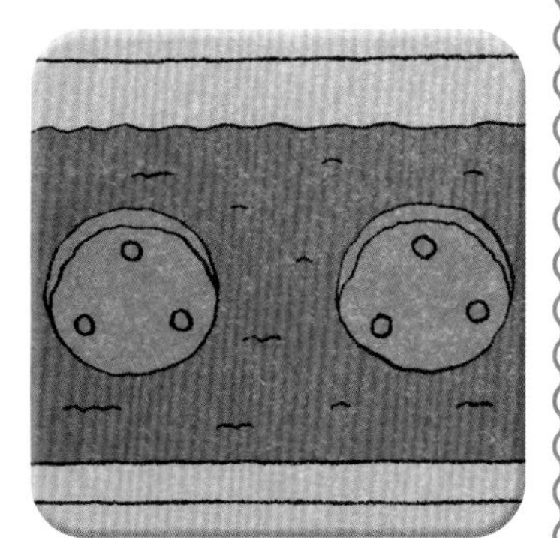

びんのふたなどで、直径5cm、深さ1cmのまき穴を2つあける。間かくは、20cm以上あける。まき穴に、種を3つぶずつまく。土をかけて、手のひらで軽くおさえたら、たっぷりと水をやる。

2. 間引き

ハサミを使って間引こう

草たけが7~8cmになったら、1か所につき株が2本になるように間引く。ハサミを使うと、残す株の根がいたまない。

3. 支柱立て・追肥（肥料やり）

支柱を立ててひもで囲おう

草たけが15cmくらいのとき

3月ごろ、プランターの4すみに支柱を立て、麻ひもで囲う。麻ひもの高さの間かくは、20~30cm。

ポイント

支柱に麻ひもを1~2回巻きつけながら、囲おう。

肥料約10g（小さじ1）を株元にまき、土と混ぜ合わせる。土が減っているようなら、新しい土を足す。花が咲き始めたら、2週間に1回、追肥する。

4. 収穫

さやをハサミで切って収穫しよう

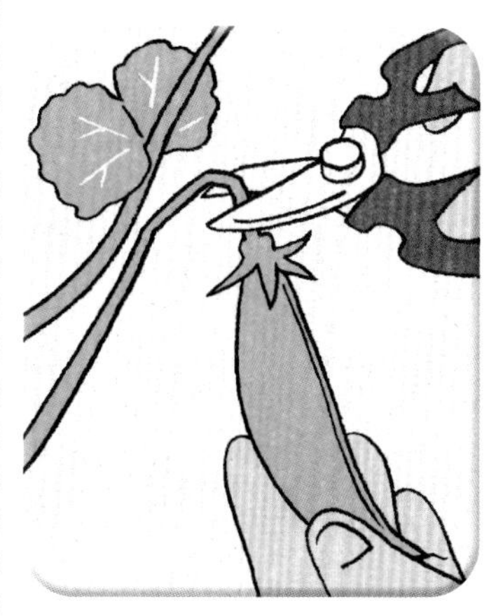

さやが7~8cmになったとき

へたのつけ根をハサミで切って、収穫する。

こうやって食べよう！

さっとゆでて、マヨネーズや塩をかけて食べよう。スープやみそ汁にもぴったりだよ。

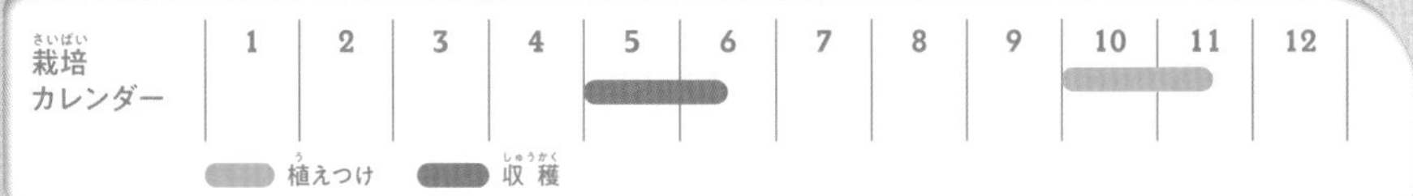

実がつくまでなが～くワクワク！

イチゴ

バラ科

苗から

どんな野菜？

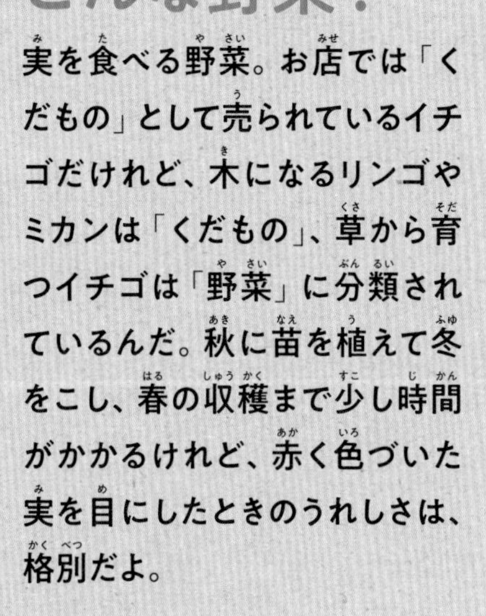

実を食べる野菜。お店では「くだもの」として売られているイチゴだけれど、木になるリンゴやミカンは「くだもの」、草から育つイチゴは「野菜」に分類されているんだ。秋に苗を植えて冬をこし、春の収穫まで少し時間がかかるけれど、赤く色づいた実を目にしたときのうれしさは、格別だよ。

収穫までの日数（植えつけから）

約7か月

成長したときの大きさ

草たけ＝20～30cm

育てる場所

日当たりのよいところ

水やり

表面の土がかわいたらたっぷりと

おすすめ品種

赤いイチゴのほか、白いイチゴもあるよ。形も大きさもいろいろだけれど、古くからある『宝交早生』や『とちおとめ』が、じょうぶで育てやすいよ。

1.植えつけ

よい苗を選んで植えつけよう

本葉が4~5枚でクラウン(葉のつけ根)が太く、ランナー(のびた枝)のあとがついた苗を選ぶ。

シャベルで大きめの植え穴をあけ、ポットから取り出した苗を植えつける。クラウンをうめないように気をつける。プランターで育てる場合は、20cm間かくで2~3株植えつける。

2.間引き・追肥(肥料やり)

枯れた葉をつみ取ろう

元気に育てるために、枯れた葉はつみ取る。秋~冬に早く咲いた花も大きな実にならないので、見つけたらつみ取る。

植えつけて1か月たったとき

新しい葉が出てきたら、株のまわりに肥料3~5g(ひとつまみ)をまいて、土とまぜ合わせる。

3.苗のほご

株元に資材を敷いてあげよう

2~3月ごろ

株のまわりに肥料3~5g(ひとつまみ)をまいてから、全体に資材(ココヤシファイバーなど)を敷く。

ポイント

ココヤシファイバーは、雑草やできた実がよごれるのも防いでくれる。園芸店やホームセンターで売っているよ。手に入るなら、わらでもいいよ。土がかわいているかどうかは、ココヤシファイバーやわらをめくって確認して、水やりをしてね。

4.ランナー取り

のびてきた枝(ランナー)を切ろう

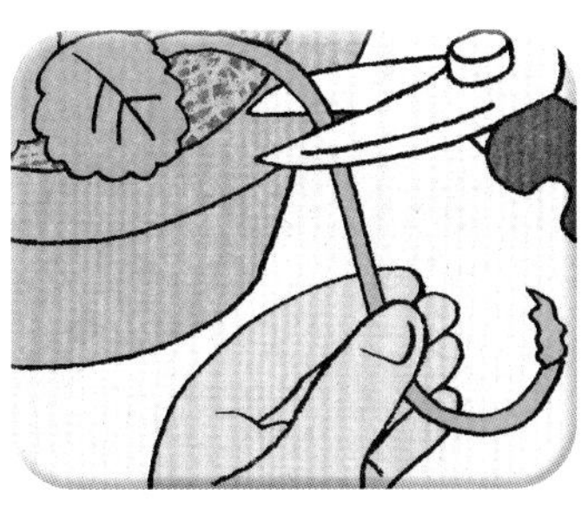

株の根元から次々にランナー(54ページを見てね)がのびてくる。そのたびにハサミで切る。

5. 人工授粉

実をつける手伝いをしよう

花が咲いたら、やわらかい筆や耳かきのポンポンで、花の中心をなでる。これで雄しべの花粉が雌しべにつく。

6. 収穫

赤く色づいた実をハサミで切ろう

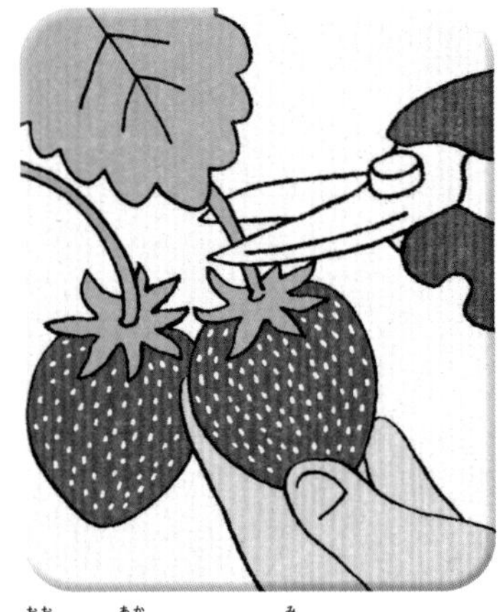

大きく赤くなった実から、へたのつけ根をハサミで切って収穫する。

来年育てる子苗をとろう

ランナーは、親株からのびて子苗をつける枝のこと。収穫した後の株から、ランナーがのびて、子苗がつくよ。この苗をとっておけば、来年もイチゴを育てることができるよ。残念だけど、1番めと4番めの子苗は元気に育たない可能性があるので、パス。土を入れたポットに2番めと3番めの子苗を植えて1か月ほどたったら、ランナーをハサミで切って水やりをしながら10月の植えつけまで育てよう。

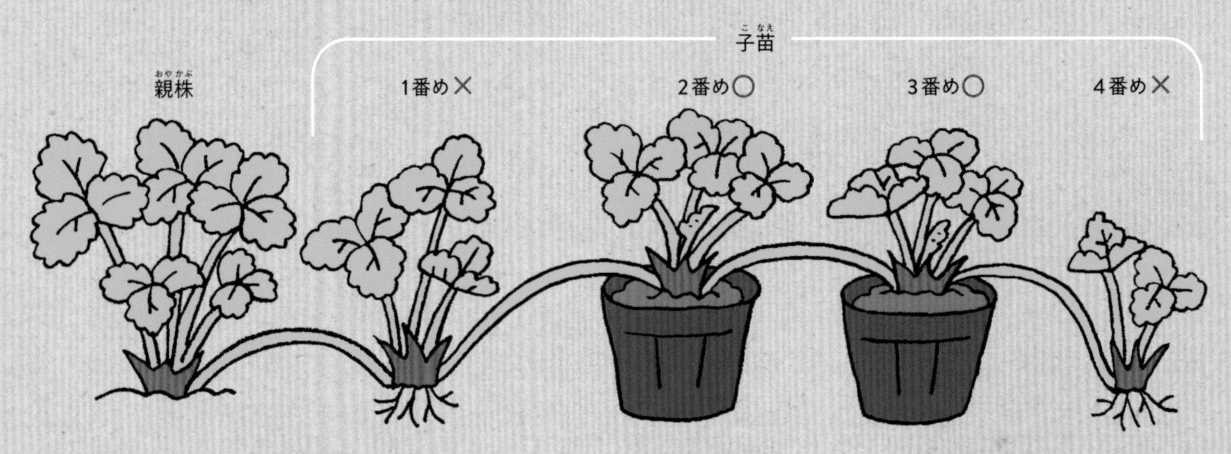

食べて元気モリモリ！

健康野菜

野菜はどれも食べれば
元気になれるけれど、
特に栄養がいっぱいの野菜を
育ててみよう。
ちょっと食べにくいものでも、
自分で育てたら
おいしいよ！

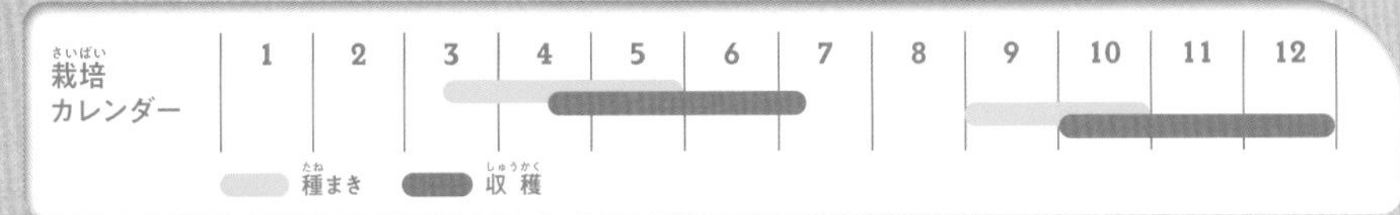

栄養たっぷりで元気モリモリ！

ホウレンソウ

ヒユ科

どんな野菜？

葉を食べる野菜。ビタミンをはじめ、鉄分やマグネシウムなどのミネラルが豊富で、むかしから「食べると元気が出る野菜」といわれていたよ。成長した葉には「シュウ酸」といって、えぐみのある成分がふくまれているので、食べるときはゆでて水にさらそう。シュウ酸がぬけて、とびっきりおいしくなるよ。

収穫までの日数（種まきから）

間引き菜＝約2週間後から
大きな株＝約1か月後から

成長したときの大きさ

草たけ＝25〜30cm

育てる場所

日当たりのよいところ

水やり

しめりけを好まないので、水をやりすぎないように

おすすめ品種

葉が丸い西洋種で、春まきの『ノーベル』、秋まきの『オーライ』はじょうぶで育てやすいよ。

1.種まき

みぞを2本作って種をまこう

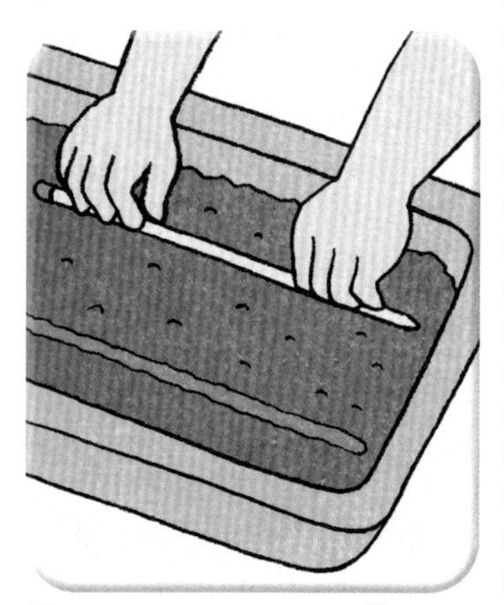

細いぼうをおしつけて、種をまくみぞを2本、作る。間かくは、10~15cmあける。

みぞに種を1つぶずつ、1cm間かくでまく。うすく土をかけたら、手のひらで軽くおさえて、プランターの下からしみ出すぐらい、たっぷりと水をやる。

2.間引き・追肥（肥料やり）

株と株の間を広げよう

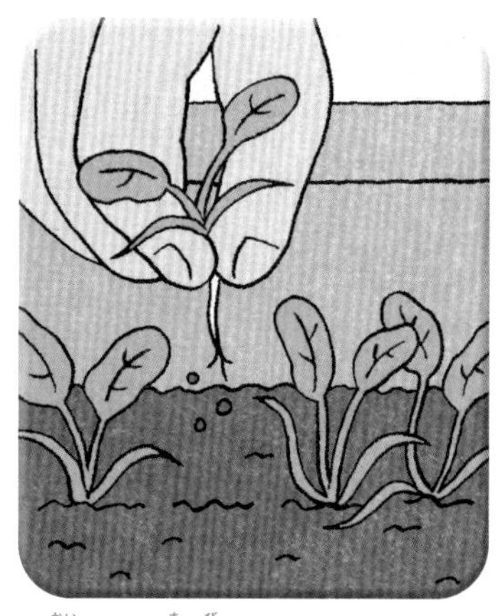

1回めの間引き

本葉1~2枚のとき、1回めの間引きをして、2~3cm間かくにする。

2回めの間引き

本葉4~5枚のとき、2回めの間引きをして、5~6cm間かくにする。間引いたら、肥料約10g（小さじ1）を列と列の間にまいて、土とまぜ合わせる。土が減っているようなら、新しい土を足す。

ポイント

夜はライトなどの光が当たらないところにプランターを置いてね。昼が長くなると、花芽がついた花茎がのびる（とう立ち）性質があるので、夜も明るいと昼とかんちがいしてとう立ちし、葉がかたくなってしまうよ。

3.収穫

株ごと引きぬいて収穫しよう！

草たけが25~30cmになったら根元を持って引きぬいて収穫する。根元をハサミで切ってもよい。

2回目の間引きで収穫した間引き菜。生でも食べられる。

こうやって食べよう！

間引き菜はサラダやスープ、みそ汁に入れても。成長した株は熱湯でさっとゆで、水にさらしてアクぬきをしてから、おひたしやいためものでどうぞ。

健康野菜

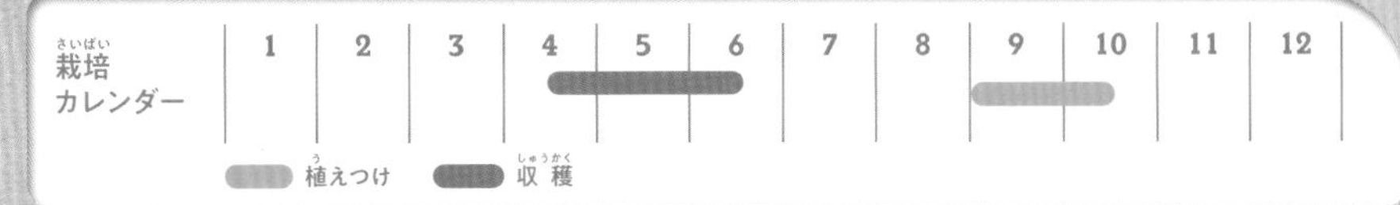

手間がかからずじょうぶに育つ！

ラッキョウ

ヒガンバナ科

種球から

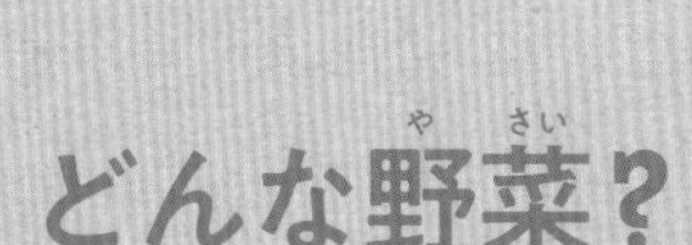

どんな野菜？

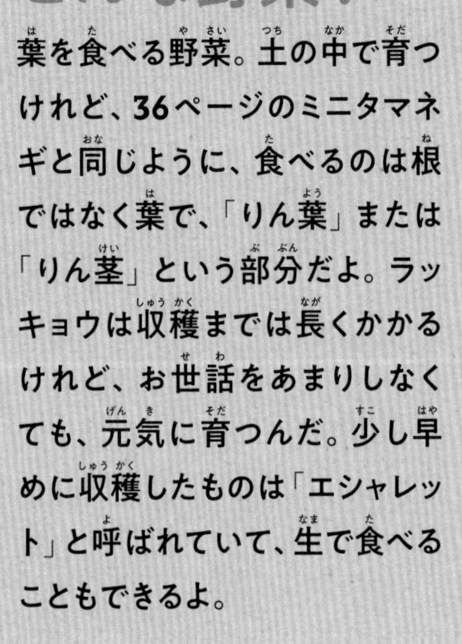

葉を食べる野菜。土の中で育つけれど、36ページのミニタマネギと同じように、食べるのは根ではなく葉で、「りん葉」または「りん茎」という部分だよ。ラッキョウは収穫までは長くかかるけれど、お世話をあまりしなくても、元気に育つんだ。少し早めに収穫したものは「エシャレット」と呼ばれていて、生で食べることもできるよ。

収穫までの日数（植えつけから）

約8～9か月

成長したときの大きさ

草たけ＝30～40cm

育てる場所

日当たりのよいところ

水やり

葉がのびるまでは毎日、その後は土がかわいたらたっぷりと

おすすめ品種

種球が手に入りやすいのは『らくだ』や『島らっきょう』。赤いラッキョウ『越のレッド』もあるよ。

1. 植えつけ

1か所に 2球ずつ植えつけよう

10cmの間かくをあけ、直径5cmくらいの植え穴を4~5か所あける。とがったほうを上にして、1か所に2球ずつ置く。

頭が少し見えるように土をかぶせたら、プランターの下からしみ出すぐらい、たっぷりと水をやる。

2. 追肥（肥料やり）

肥料を足そう

植えつけから1か月後

プランター全体に肥料約10g（小さじ1）をまいて、土とまぜ合わせる。

2月末ごろから

1か月に1回、プランター全体に肥料約10g（小さじ1）をまいて、土とまぜ合わせる。土が減っているようなら、新しい土を足す。

3. 収穫

早めの 若どりもできるよ！

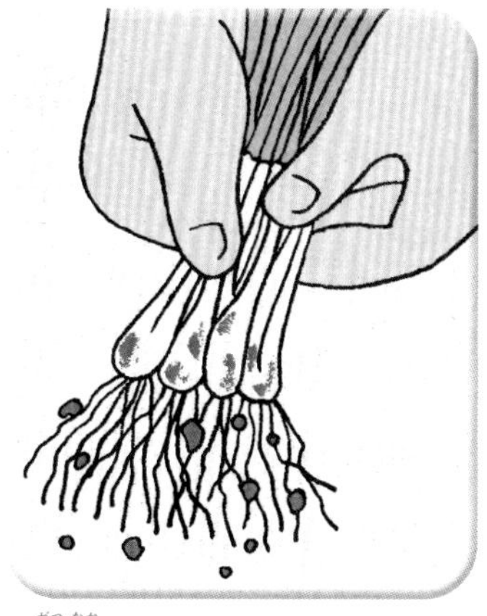

4月中ごろから

球が太り始めたら、葉ごと引きぬく。若どりしたラッキョウ「エシャレット」は、生で食べられる。

6月初めごろ

葉がかれてきたら、葉ごと引きぬいてラッキョウを収穫する。

こうやって食べよう！

葉を切り落として、よく洗おう。エシャレットは、みそやマヨネーズをつけて生のまま。ラッキョウは、塩や甘酢でつけ物にしてね。

ポイント

11月くらいに花の芽が出てきて、そのままにすると花が咲くよ。花の芽は切ったほうが球が大きくなるけど、1つくらいは残して花を楽しんでもいいかもね。

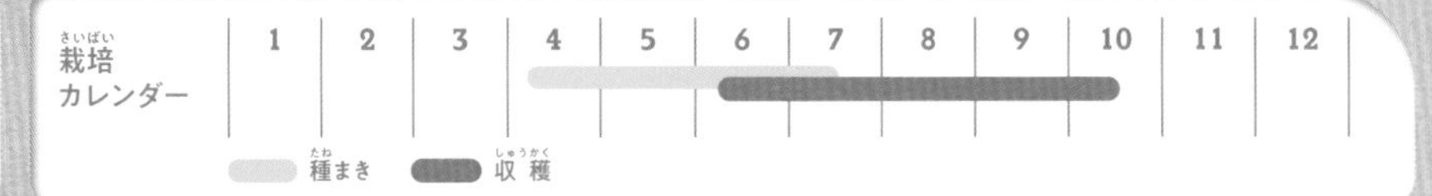

かわいい花も楽しみのひとつ！

つるなしインゲン

種から

マメ科

どんな野菜？

実を食べる野菜。インゲンには、つるがのびる品種と、つるがのびない品種があるよ。つるなしインゲンは、つるがのびない品種で、プランターでもラクに育てられるんだ。食べるのは、マメがふくらむ前の若いさや。「インゲン」は、このマメを日本に伝えた江戸時代のお坊さんの名前。漢字で「隠元」と書くよ。

収穫までの日数（種まきから）

約2か月後から

成長したときの大きさ

草たけ＝50～60cm

育てる場所

日当たりのよいところ

水やり

芽が出るまでは毎日、その後は土がかわいたらたっぷりと

おすすめ品種

さやが丸いものと平たいものがあるよ。丸いものなら『恋みどり』、平たいものなら『つるなしジャンビーノ』が味もよくて育てやすいよ。

1. 種まき

3つぶずつ種をまこう

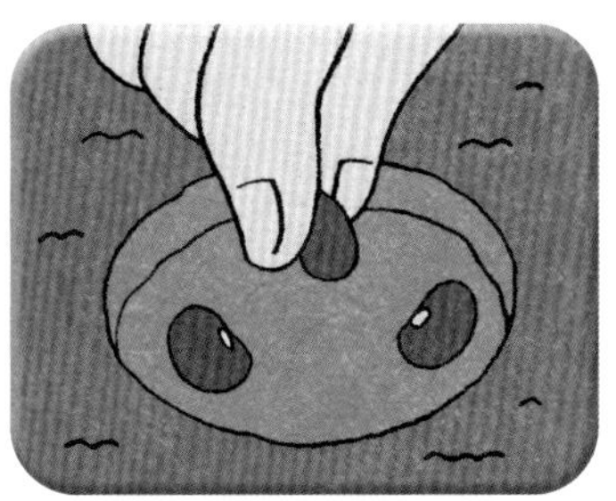

びんのふたなどで、直径5cm、深さ1cmのまき穴を、20cm間かくで3か所、プランターにあける。1か所あたり種を3つぶまき、土をかけてたっぷり水をやる。

2. 間引き

1か所につき2株になるように間引こう

本葉が2~3枚になったとき

元気のよい株を2本残し、1本はハサミで切って間引く。

3. 追肥(肥料やり)・支柱立て

大きく育つようにお世話をしよう

種まきの1か月後

株のまわりに肥料約10g(小さじ1)をまき、土と混ぜ合わせる。その後は、2週間に1回、追肥する。土が減っているようなら、新しい土を足す。

草たけが20cmになったとき

株の横に支柱を立て、2本の株の茎をまとめて麻ひもでゆるく結びつけ、支柱にはしっかりと結ぶ。

ポイント

株がたおれないように支えてあげてね!

4. 収穫

やわらかいさやを収穫しよう

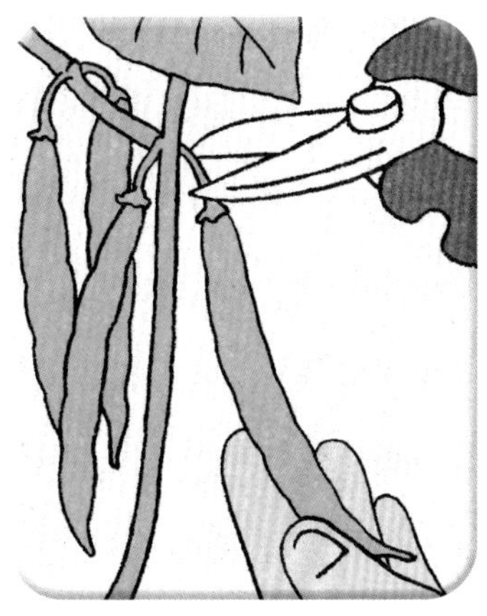

さやが12~13cmくらいになったら

さやがかたくなる前、やわらかいうちにハサミで切り取って収穫する。

健康野菜

こうやって食べよう!

よく洗って熱湯で塩ゆでしよう。冷ましてから、へたを切ってね。すじが気になるときはすじも取るといいよ。

暑さに強くてたくさん収穫できる

スティックブロッコリー

アブラナ科

どんな野菜？

つぼみと茎を食べる野菜。てっぺんのつぼみを収穫した後、わきからつぎつぎにのびる茎と、その先についたつぼみを収穫して食べるんだ。茎は、アスパラガスみたいな歯ごたえがあるよ。ふくまれている栄養は、大きなブロッコリーと同じで、ビタミンCやカロテンがたっぷりだよ。

収穫までの日数（植えつけから）

てっぺんのつぼみ＝約2か月後
わきのつぼみ＝約2か月半後から

成長したときの大きさ

つぼみの大きさ＝直径約3cm

育てる場所

日当たりのよいところ

水やり

植えつけ後はたっぷり、その後は土がかわいたら

おすすめ品種

わき芽がつぎつぎにつく『スティックセニョール』なら、たくさん収穫できるよ。『紫セニョーラ』は、つぼみがむらさき色の品種だよ。

1. 植えつけ

浅めに植えつけよう

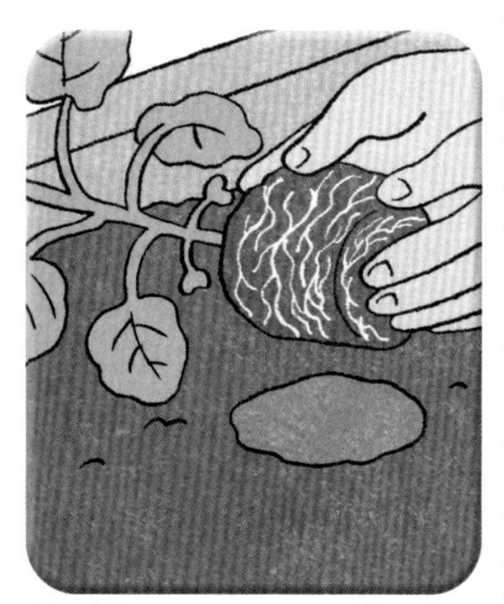

根を傷つけないように、土ごとポットから苗を取り出す。

ポイント

前の日にポットの苗に水をやっておくと、じょうずに取り出せるよ。

スコップで大きめの植え穴を2つあけ、浅めに植えつける。間かくは30cmにする。植えつけたら、プランターの底からしみだすくらい、たっぷり水をやる。

2. 追肥（肥料やり）

2週間おきに肥料をやろう

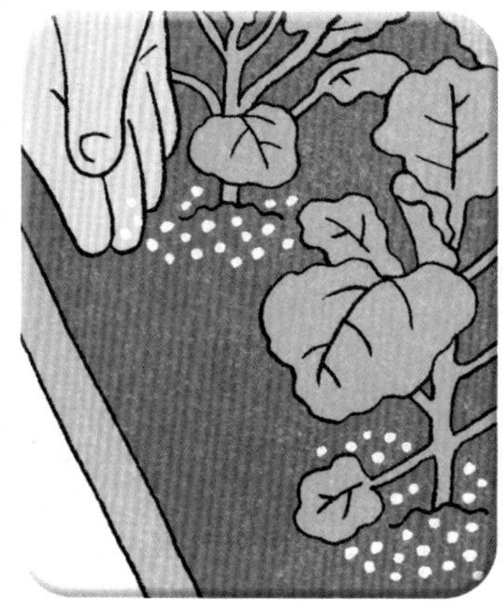

植えつけの2週間後から

肥料約10g（小さじ1）をまき、土とまぜ合わせる。その後は、2週間に1回、追肥する。土が減っているようなら、新しい土を足す。

3. 収穫

てっぺんから収穫スタート！

てっぺんのつぼみの直径が3~4cmになったとき

茎のつけ根から、ハサミで切り取る。わきのつぼみは、直径が3cmくらいになったら同じように収穫する。

スティックセニョール
甘くて長い間収穫できる

紫セニョーラ
加熱すると紫から緑色に変身

こんな品種があるよ！

こうやって食べよう！
水でよく洗ったら、熱湯に塩少々を入れて、さっとゆでてね。

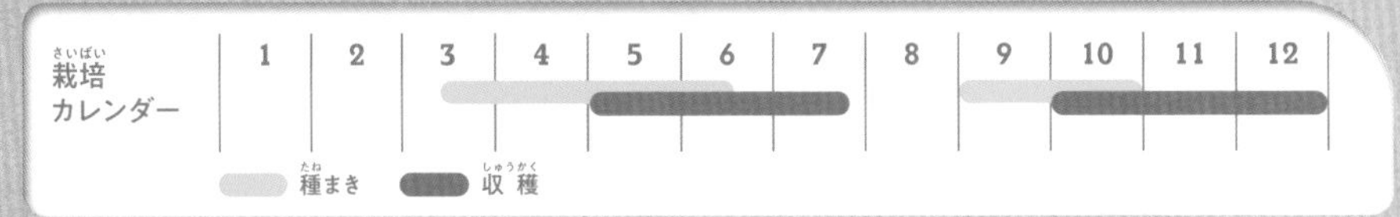

収穫しながら大きくできる!

ミズナ

アブラナ科

どんな野菜?

葉を食べる野菜。長くのびた茎についたギザギザの葉が、特ちょうだよ。とてもじょうぶで、根元からつぎつぎに新しい葉が出てくるから、収穫しながら、大きく育てることもできるよ。

収穫までの日数(種まきから)

小さな株=約1か月後から
大きな株=約2か月後から

成長したときの大きさ

草たけ=25~30cm

育てる場所

日当たりのよいところ

水やり

水を好むので土をかんそうさせないように気をつけて

おすすめ品種

じょうぶな『京すだれ』、アクが少ない『京しぐれ』が育てやすいよ。葉のギザギザがない『みぶな』という品種もあるよ。

1. 種まき

2列に種をまこう

細いぼうをおしつけて、種をまくみぞを2本作る。間かくは、10〜15cmあける。

みぞに種を1つぶずつ1cm間かくでまく。うすく土をかけたら、手のひらで軽くおさえて、プランターの下から水がしみ出すぐらい、たっぷりと水をやる。

2. 間引き・追肥（肥料やり）

追肥は1回でOK!

1回めの間引き

ふた葉が開き本葉が出てきたら、2〜3cm間かくになるように、1回めの間引きをする。

2回めの間引き

本葉4〜5枚のとき、4〜5cm間かくになるように、2回めの間引きをする。その後、肥料約10g（小さじ1）を列と列の間にまいて、土とまぜ合わせる。土が減っているようなら、新しい土を足す。間引き菜は、食べられる。

3. 収穫

1株おきに収穫しよう!

草たけが25〜30cmになったら

株元からハサミで切って収穫する。

ポイント

1株おきに収穫すると、残った株から出る新しい葉が横に広がり、大きな株に育つよ!

葉がやわらかい間引き菜や小さな株は、サラダなど、生で食べられる。大きな株は少し葉がかたいので、みそ汁やなべ物に入れる。

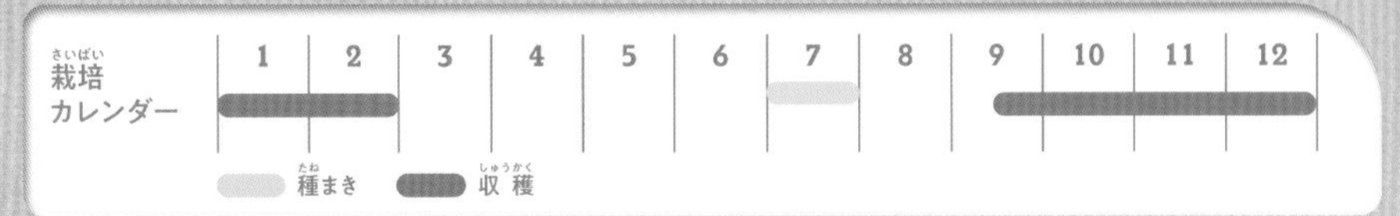

ちょこちょこなが～く収穫できる！

葉ネギ

ヒガンバナ科

どんな野菜？

葉を食べる野菜。土の中で白い部分を育てて食べる長ネギに対して、葉ネギは、土の上の緑色の葉を育てて食べるよ。長ネギに比べると、お世話も簡単なんだ。葉は細いけれど、カロテンやビタミンC、ミネラルが豊富。株元を残して収穫すれば、新しい葉がのびてきて、何度か収穫できるよ。使う分だけ収穫できることも、ポイントだよ。

収穫までの日数（植えつけから）

約2か月半後から

成長したときの大きさ

草たけ＝40～50cm

育てる場所

日当たりのよいところ

水やり

芽が出るまでは毎日、その後は土がかわきすぎないように

おすすめ品種

どの品種も育てやすいよ。『九条ネギ』や『小ネギ』は手に入りやすいし、元気に育つよ！

1. 種まき

みぞを2本作って種をまこう

細いぼうをおしつけて、種をまくみぞを2本、作る。間かくは、10~15cmあける。

みぞに種を1つぶずつ、1cm間かくでまく。うすく土をかけたら、手のひらで軽くおさえて、プランターの下からしみ出すぐらい、たっぷりと水をやる。

2. 間引き・追肥（肥料やり）

間引きは1回でOK！

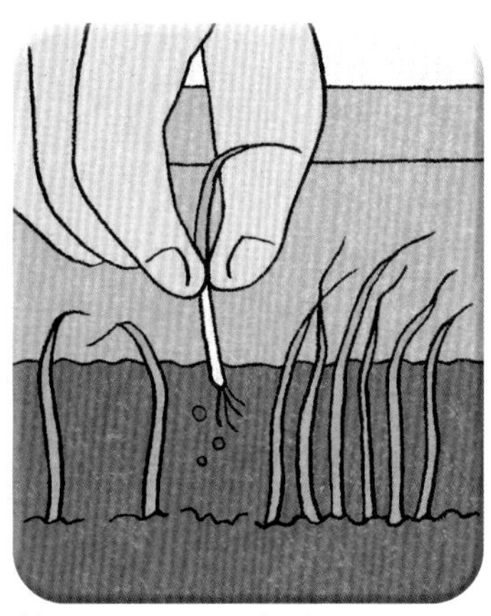

種をまいて10日後

3cm間かくになるように間引く。

種まきの2週間後

肥料約10g（小さじ1）をまき、土とまぜ合わせる。その後、2週間に1回、追肥する。土が減っているようなら、新しい土を足す。

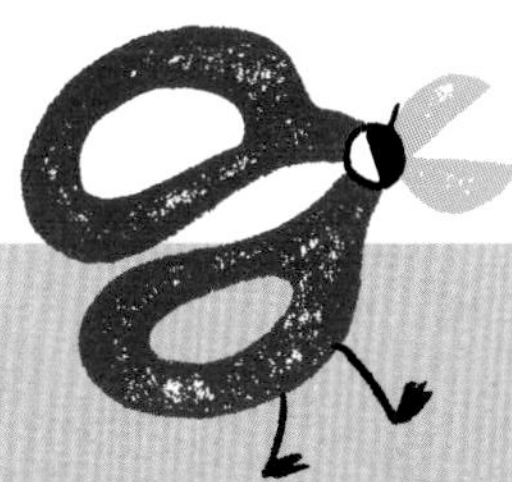

3. 収穫

使う分を収穫しよう！

草たけ40~50cmのとき

株元3~4cmのところをハサミで切って収穫する。収穫後、肥料を足すと新しい芽がのびて、また収穫できる。収穫が1回でよい場合は、根ごと引きぬく。

ポイント

収穫すると日持ちしないので、使う分だけ収穫しよう。

こうやって食べよう！

葉を洗い、細かく刻んで薬味にしたり、みそ汁に入れたりしてね。緑色がアクセントになるよ！

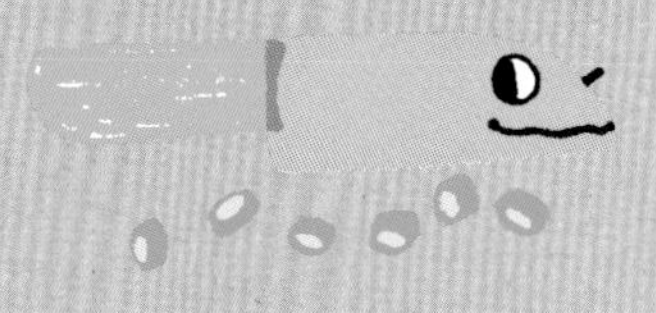

葉っぱでグリーンカーテンもできる！

ゴーヤー

ウリ科

どんな野菜？

実を食べる野菜。「ニガウリ」「ツルレイシ」とも呼ばれているよ。「ニガウリ」の由来は、その名前のとおり苦みがあるから。苦みのもとは「ククルビタシン」や「モモルデシン」という成分。つかれを取ったり、食欲が出たりという効果があるよ。葉がたくさんしげるので、グリーンカーテンとして夏の日よけにするのもおすすめ。

収穫までの日数（植えつけから）

約2か月

成長したときの大きさ

草たけ約2m

育てる場所

日当たりのよいところ

水やり

土がかわかないように、1日に1～2回たっぷりと

おすすめ品種

小さいサイズの『みにがうり』、表面のイボが少ない『なめらかゴーヤ』は育てやすいよ。

1. 植えつけ

間かくをあけて植えつけよう

本葉が4~6枚で、がっしりした苗を選ぶ。

根を傷つけないように、土ごとポットから苗を取り出し、スコップで大きめの植え穴を2つあけ、浅めに植えつける。間かくは30~40cmにする。植えつけたら、プランターの底からしみだすくらい、たっぷり水をやる。

2. 摘心・ネット張り

親づるの先を切りネットを張ろう

植えつけの2週間後

下から数えて7~8枚めの本葉の先にのびた親づるの先をハサミで切る。わき芽の子づるをのばしていく。

園芸用のネットを張る。のき下からさげてもよいし、支柱を使って張ってもよい。

ポイント

ゴーヤーの実は重いので、ずり落ちてこないようにしっかり張ろう。

子づるがのびてきたら、つるをネットにからませる。

ポイント

つるをのばしたい方向にからませるといいよ！

グリーンカーテンにしてみよう！

窓辺にゴーヤーのつるをどんどんのばしてグリーンカーテンにすれば、部屋が涼しくなって成長の様子も観察できるよ。水やりは忘れずにしっかりと。暑い時期は朝夕あげるといいよ。

3.追肥（肥料やり）

肥料と水やりは忘れないようにしよう

植えつけの2週間後から

肥料約10g（小さじ1）をプランターにまき、土とまぜ合わせる。その後は、2週間に1回、追肥する。土が減っているようなら、新しい土を足す。水やりはかかさずに。

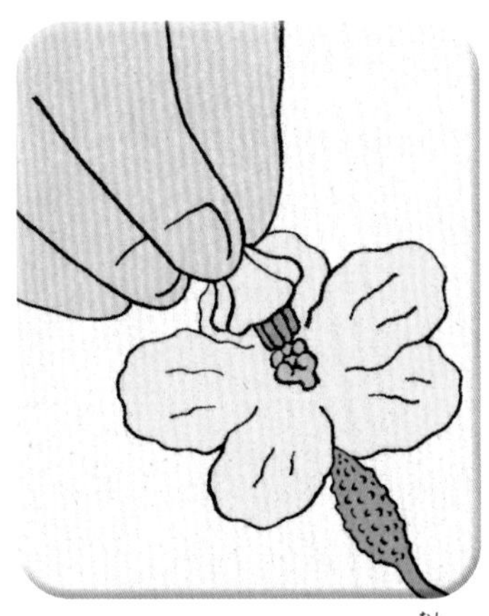

マンションのベランダなど、虫が来ない場所で育てる場合は、雄花をつみ、雌花の雌しべに花粉をつける（人工授粉）。

4.収穫

育った実のへたをハサミで切ろう！

花が咲いて20〜25日たったとき

実が濃い緑色になったら、へたをハサミで切って収穫する。

ポイント

品種によって収穫する大きさがちがうので、実のようすをよく観察してね。

完熟させてみよう

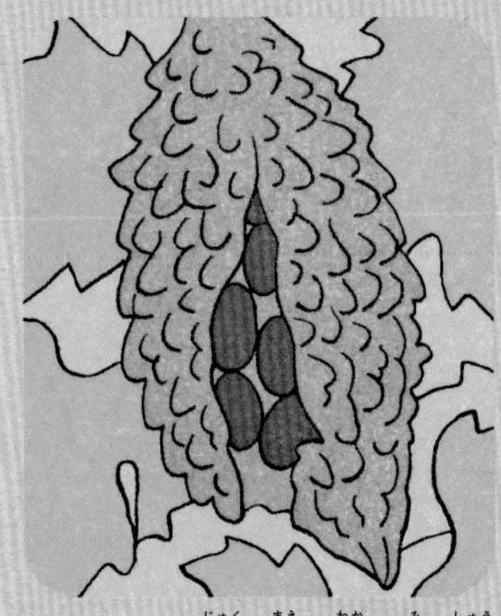

ゴーヤーは、熟す前の若い実を収穫するよ。ひとつかふたつ収穫せずに残して、完熟させてみよう。皮はオレンジ色、種のまわりは赤いゼリーのようになるよ。このゼリーは、びっくりするくらい甘いんだ。種をしゃぶって、確かめてみてね！

ポイント

完熟して実がはじけると、下に落ちてしまうよ。ベランダがよごれないように、オレンジ色になったら早めにとってね！

こうやって食べよう！

種とワタは苦みが強いので、スプーンなどでくりぬこう。うすく切って塩でもみ、熱湯をかけると苦みがへるよ。生のままでも、いためても食べられるよ。バナナと牛乳といっしょにミキサーにかけてジュースにすると、超おいしいよ！

野菜を
観察してみよう!
種をまいたり、植えつけたら、
どんどん大きくなる野菜。
成長の様子を観察してみよう。
野菜の花が見られるのも、
野菜づくりの楽しみの一つだね。
毎日の変化を記録すれば、
自由研究にもぴったりだよ。

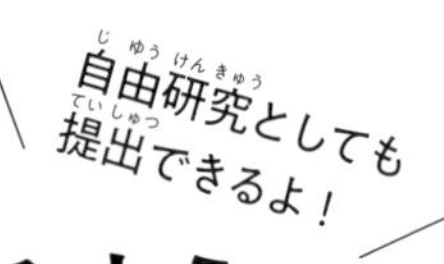

野菜を育てて 観察・記録ノートを作ってみよう

野菜を育てるなら、成長の様子を記録してみよう。気がついたことなども記録しておくと、別の野菜を育てるときにも役立つよ。夏休みの自由研究にしてもいいね。

用意するもの

- ノートや画用紙
- えんぴつやペン
- 色えんぴつやクレヨン

あると便利なもの

- じょうぎ
- ハサミ
- のり
- カメラ

ノートには何を書く？

1. はじめにまとめること

選んだ野菜の名前と、選んだ理由を書こう。育ててみようと思ったきっかけを、4ページも参考にしながらまとめてね。その野菜の、特に観察したいところも書いておくといいよ。

2. 観察して記録しよう

できるだけ毎日、同じ時間帯に観察して、変化したことや気づいたことを記録しよう。
たとえば…
芽が出た！ 葉の枚数は？ 草たけはどのぐらい？ つぼみや花の形は？ など、どんなことでもOKだよ。

3. 収穫の様子や食べた感想も！

目安の大きさになったら、いよいよ収穫。野菜や実の大きさ、数を記録しておこう。収穫後、どうやって食べたかや、味、感想なども書いてみよう。

こんなふうにまとめてみよう

書き方に決まりはないけれど、せっかく育てた野菜の様子が、後で見返したときによくわかるとうれしいよね。絵が得意ならイラストをたくさん描いたり、家族に協力してもらって写真をとるのもいいね。

①はじめのページ

わたしの野菜栽培の記録

△年△組　△△△△

育てる野菜 ミニトマト

選んだ理由

- 小さくてかわいいから
- サラダに入っていると色がきれいだから
- 食べると元気が出るとおばあちゃんが言っていたから

特に観察したいこと

- どんな花が咲くのか知りたい
- 実が何個とれるか数えてみたい

種のふくろを貼ってもいいね！

②記録・観察のページ

観察をした日付、時間、天気や気温をまず記入しよう。野菜の成長の様子のほか、種まきや植えつけなどの作業の内容をくわしく書いてもOK。いくつか野菜を育てている場合は、野菜ごとに記録しておくと、違いがわかりやすいよ。

作業や観察をした日と時間を記入する

△月△日6時30分
天気 晴れ　気温 23度

写真や絵でまとめてみよう！

〈今日の記録〉
今日は「人工授粉」に挑戦した。花粉を落とすと、たくさん実がつくみたい。支柱をぼうでたたいて花粉を落とすんだけど、ちゃんと落ちたのかな？
花を指で軽くはじいてもいいみたい。どちらも、朝のほうが花粉が元気らしいので、がんばって早起きしたよ。

- 花の色…黄色
- 花の形…星型に近い？
- 花の大きさ…直径1.5～2cmぐらい
- 花びらの数…5枚
- 花のにおい…よくわからない。葉のほうがにおう気がする
- 気がついたこと…花は下向きに咲いている
- 調べたいこと…花は何日も咲くのかな？

ふた葉（子葉）や本葉（葉）、茎、花や実など、野菜が育っていく様子を観察していこう。色や形、大きさ、においなど、観察したり測ったりしてわかったことをまとめてみてね。観察するときは、野菜を傷つけないように、そっとさわってね。

③収穫のページ

△月△日7時
天気 晴れ　気温 28度

はじめての収穫！

- 収穫した数…6個
- 実の大きさ…直径1.5～2.5cm
- 実の重さ…1個10～20g
- 食べ方…サラダにのせて食べた
- 感想など…スーパーで売られているものよりも小さめだったけれど、赤くてとてもかわいかった。サラダにのせて食べたら、少しすっぱかったけど、家族もおいしいと食べてくれた。これからどんどんとれるといいな。

写真をそえてもいいね！

観察してみよう！

広い場所がなくても育てられる！

スプラウト

用意するもの

- スプラウト用の種
- 深さのある容器（マグカップ、イチゴパックなど）
- キッチンペーパー（うすいスポンジでもOK）
- きりふき
- 茶こし
- アルミホイル、スプーン、ハサミなど

スプラウトって何？

スプラウトは、種から出た新しい芽をのばして食べる野菜で、「発芽野菜」とも呼ばれているよ。小さな芽の中に、ビタミンやミネラルなど、野菜の栄養がいっぱいふくまれているんだ。種が手に入れば、部屋の中で育てられるのがうれしいよね。よく知られているカイワレダイコンのほか、ブロッコリーのスプラウト、トウミョウ（エンドウのスプラウト）などがあるよ。

収穫までの日数

7～10日

日当たり

芽が出るまでは光をさえぎり、芽がのびてきたら光に当てる

水やり

朝と夜の2回、きりふきで水をかける

ポイント

ふつうの野菜の種は、新芽を食べるのには向いていないよ。スプラウトを育てるときは、必ずスプラウト用の種を選んでね。

1.種の準備

水につけた種をまこう

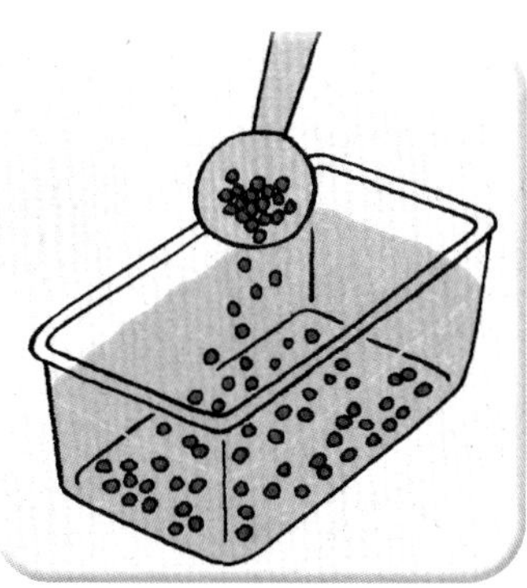

容器に種、種の5倍以上の水を入れ、一晩おく。

一晩おいた種を茶こしにあけて、水をきる。

キッチンペーパーをたたんで容器の底にしき、底が見えなくなるくらいに、スプーンで種をまく。

2.水やり・しゃ光

水をやって光をさえぎろう

種を入れたら、種がしめるくらいに、きりふきで水をかける。

アルミホイルで容器をおおい、光をさえぎる。その後は、朝と夜の2回、アルミホイルをはずし、きりふきで水をやる。水をやったら、アルミホイルでまたおおう。

5~7日後

芽が5cmくらいになったらアルミホイルをはずし、窓辺などで光に当てる。アルミホイルをはずしてからも、朝と夜の2回、きりふきで水をやる。

3.収穫

7~10日くらいたったら収穫しよう

7日たったカイワレダイコン。どのくらいのびるかは、野菜によってちがう。

キッチンペーパーごと取り出し、根元をハサミで切る。さっと洗えば、生で食べられる。

観察してみよう！

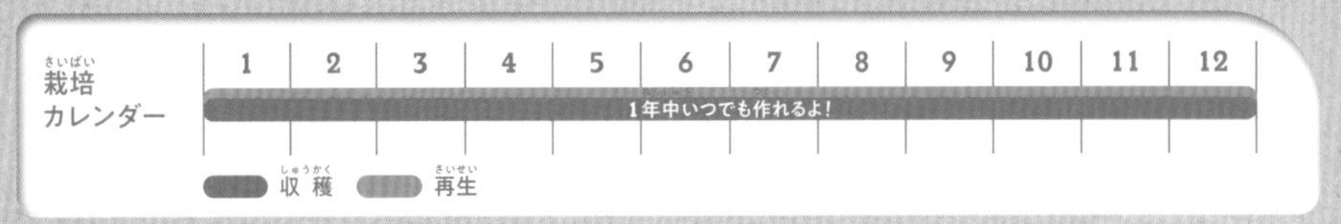

切れはしから元気に育つ！

リボベジ

リボベジって何？

リボベジは「リボーンベジタブル」を短くした言葉。意味はズバリ「よみがえらせた野菜」で、料理に使った野菜の切れはしを利用して育てるんだよ。特別な道具は、必要なし！ 成長を観察して楽しむこともできるし、のびた葉を食べることもできるよ。

収穫までの日数

野菜によって変わる

日当たり

直射日光は当たらないけれど日光は入る、明るい室内

水やり

毎日1～2回、水をかえる。水の量は多すぎないようにする

ポイント

水をかえるときに、野菜がぬるぬるしていたら、そっと水洗いしてね。今回は水で育てる方法を紹介するけれど、土に植えて育てることもできるよ。いろいろな野菜の茎や根で試してみてね！

用意するもの

- 野菜の切れはし（茎や根）
- 野菜を置く容器

1.ネギ

根元を7〜8cmに切って水につけよう

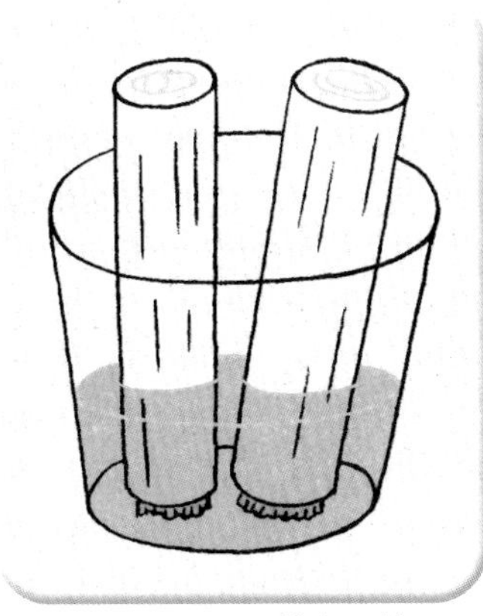

ネギがたおれない容器を用意し、根元を入れて水をそそぐ。

ポイント

ネギを輪ゴムでたばねたり、スポンジを入れてさしたりするとたおれにくくなるよ。水は根がひたるくらいで十分。入れすぎないようにしてね。

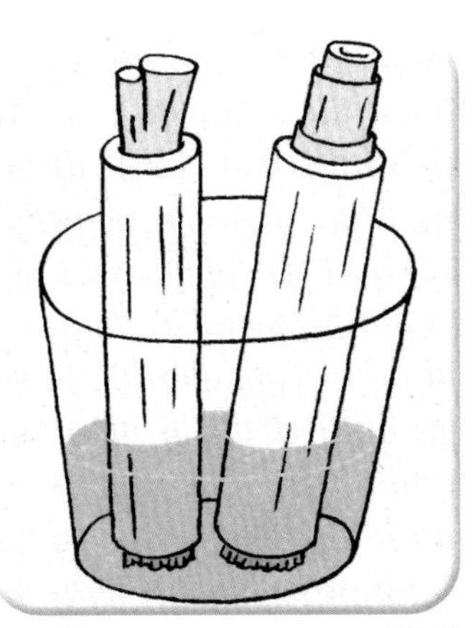

5〜6日くらいたったようす。緑色の葉がさらにのびてきたら、その部分を切って食べたり料理する。

2.ダイコン

茎の切れはしを水につけよう

容器を用意し、3〜4cmに切った茎を入れて水をそそぐ。

ポイント

水の量は茎の底がひたるくらいで十分。入れすぎないようにして、毎日かえてね。

葉がのびてきたら、使う分だけ切り取って料理する。

ポイント

収穫せずに育ててもOK。観察日記を自由研究にするのもおすすめ！

3.トウミョウ

茎を切った残りを水につけよう

容器を用意し、食べる部分を切った残りを入れて水をそそぐ。

ポイント

水の量は根が少しひたるくらいでだいじょうぶだよ。

1週間くらいで葉と茎がのびてくる。元気な葉を、使う分だけ切り取って食べたり料理する。

ポイント

もちろん、収穫しないで育てて観察してもOKだよ。

野菜の花を観察してみよう！

野菜を育てる楽しみは、収穫して食べることだよね。でもじつは、花の観察もおもしろいんだよ。
花びらは何色で何枚？　形は、どんなふう？　自分で育てているからこそ、
じかに確かめることができるよ。この本で紹介した野菜を中心に花の写真を紹介するので、
育てながら観察してみてね。新しい発見があるかもしれないよ。

ミニトマト

黄色くて、小さな花を咲かせるよ。花びらは何枚かに分かれているように見えるけれど、根元でつながっていてじつは1枚なんだ。

キュウリ（雌花）

黄色で、花びらの数は5枚だよ。キュウリには雄花と雌花があり、雌花のつけ根にはキュウリになる小さな実がついているよ。

カボチャ

キュウリと同じウリ科で、花びらの数は5枚、色は黄色。雄花と雌花があり、実になるのは、つけ根がふくらんだ雌花だよ。

ナス

花びらはむらさき色で、黄色の雄しべの中心に雌しべがあるよ。1枚の花びらが5~8つほどにさけ、下向きに咲くよ。

ピーマン

1枚の白い花びらが、5~7つくらいにさけて下向きに咲くよ。雌しべは、青っぽい雄しべに囲まれているよ。

ジャガイモ

形は、ナスの花に似ているよ。花びらの色は、白、うすむらさき色、ピンクなどで、品種によってちがうんだ。

トウモロコシ（雄花）

トウモロコシ（雌花）

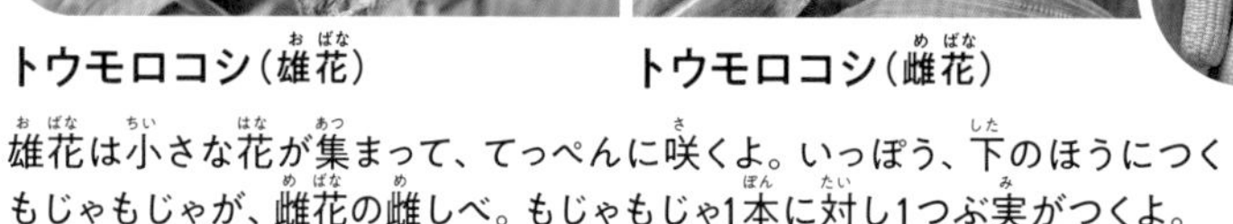

雄花は小さな花が集まって、てっぺんに咲くよ。いっぽう、下のほうにつくもじゃもじゃが、雌花の雌しべ。もじゃもじゃ1本に対し1つぶ実がつくよ。

シソ

シソの花の色は、青ジソは白、赤ジソはうすいむらさき色。小さくても、ひとつひとつの花に雄しべと雌しべがちゃんとついているよ。

バジル

シソの穂のように、小さな花がまとまって咲くよ。色は白くて、よく見ると花の形がユニークでおもしろい。

エダマメ

エダマメは、葉のつけ根に3mmくらいの小さな花をまとめてつけるよ。色は、白やうすむらさき色、ピンクなどだ。

スナップエンドウ

エンドウの仲間の花の特ちょうは、チョウのような形をしていること。色は、白っぽい品種と赤っぽい品種があるよ。

イチゴ

花びらの数は基本的に5枚で、6~7枚のこともあるよ。色は、白やピンクなど。中心には黄色い雄しべと雌しべが見えるよ。

つるなしインゲン

インゲンの花は、スナップエンドウと同じチョウのような形で、いくつかまとまって咲くよ。色は、白のほか、ピンク系もあるよ。

ゴーヤー（雌花）

ウリ科のゴーヤーの花びらは5枚で、色は黄色だよ。雌花のつけ根には小さな実がついているよ。

収穫しないでそのまま育てると花が咲く野菜

コマツナ

コマツナの花の色は、黄色。4枚の花びらが十字型につき、6本の雄しべに囲まれて1本の雌しべがあるよ。

ラディッシュ

コマツナと同じアブラナ科のラディッシュの花の形は、コマツナと同じ十字型だ。色は、白やうすいピンクが多いよ。

リーフレタス

キク科のレタスの花は黄色で、同じキク科のタンポポに少し似ているよ。花びらの形は細長いよ。

ミズナ

ミズナもアブラナ科の野菜で、花の形は十字型。こい黄色の花は、コマツナに似ているよ。

ニンジン

白い小さな花が集まり、かさのように広がって咲くよ。小さな花を観察すると、5枚の花びら、5本の雄しべ、1本の雌しべがあるよ。

タマネギ
（ミニタマネギ）

ミニタマネギは、タマネギを小さなうちに収穫したもの。タマネギの花は、茎の先に白い小さな花が集まってボールのように咲くよ。

ホウレンソウ
（雄株の花）

ホウレンソウには、雄株、雌株、どちらの特ちょうも持つ株があり、それぞれ花の形もちがう。写真は雄株の花で、花びらはないよ。

※花については
59ページのポイントも
参考にしてね。

ラッキョウ

赤むらさき色の小さな花が、ふさのようにつくよ。雄しべは花から飛び出し、中央に短い雌しべが1本あるよ。

スティック ブロッコリー

花のつぼみを食べるブロッコリーは、アブラナ科の野菜。花は黄色で、形や特ちょうは、コマツナやミズナと同じだよ。

サツマイモ

残念ながら日本の気候ではめったに咲かないけれど、花はアサガオに似たラッパのような形で、うすいピンク色なんだ。

花がきれいな野菜

オクラ

ゴボウ

本で紹介できなかった野菜の中には、花だんの花に負けないくらい、きれいな花を咲かせるものもあるよ。その代表が、写真左のオクラの花。うすいクリーム色の花びらが5枚、大きくはなやかに咲き、「野菜の花の中では、一、二を争うほど美しい」ともいわれているんだ。そのほか、ゴボウにも写真右のように丸いアザミのような花が咲くし、アスパラガスには、スズランのようなベル形の小さな花が咲くよ。いろいろな野菜を育てて、花の観察をしてみてね。

※花びらの枚数や色などは、一般的な情報です。同じ野菜でも、育てる品種によって異なることがあります。

もっと知りたい！

プランター野菜づくり

もっと野菜づくりにくわしくなれる
基本の育て方や作業の
流れを紹介するよ。寒い地域で
育てる場合は、冷涼地カレンダーも
参考にしてね。

基本の育て方

どんな野菜も、基本の育て方は同じだよ。流れを頭に入れておくと、
「作りたい！」と思ったときに、すぐに取りかかれるね。
初めて野菜を育てるときや順番がわからなくなったときは、このページを読んでね。

準備

「培養土」「野菜の土」など、肥料が入った野菜栽培用の土を用意。底の穴が大きい鉢には鉢底ネットを敷くよ。プランターや鉢に鉢底石をならべたら、スコップを使って土を入れよう。ふちのぎりぎりまで土を入れると、水やりのときに土が流れてしまうので、入れるのはふちから2cmくらい下のところまで。土を入れ終わったら、全体を平らにしておこう。

鉢底ネット　鉢底石

プランターの底にすのこがついている場合は、そのまま土を入れてOK！

種まき（種から育てる野菜）

土を入れたプランターや鉢に、種をまくよ。野菜に合ったまき方があるので、育て方のページを読み、書いてあるとおりにまいてね（写真は、コマツナの種をまいているところだよ）。種をまいたら土をかけよう。スコップやふるいで、少しずつていねいにかけてね。最後に、手のひらで軽く土をおさえると、種と土がなじんで芽が出やすくなるよ。

植えつけ（苗から育てる野菜）

スコップを使い、土に苗が入るくらいの穴をあけるよ。穴をあけたら、ポットから苗を取り出そう。ポットの底の穴を外からそっと指でおし、根や土がくずれないようにていねいに取り出してね。前の日にポットに水やりをして、土をしめらせておくとくずれにくいよ。苗を取り出したら植え穴に置き、ぐらつかないように土を足し、手で軽くおさえるよ（写真は、リーフレタスの苗を植えつけているところだよ）。

水やり

水やりは基本的に1日1回、午前10時ごろまでに終わらせよう。真夏はすぐに土がかわいてしまうので、1日2回、夕方5時ごろにも水をやってね。

・種まきと植えつけをしたすぐ後

種をまいた後や苗を植えつけた後は、時間帯に関係なく、プランターの底から流れ出すくらい水をたっぷりやるよ。でも、ホースで勢いよく水をかけると、種が流れたり苗がいたんだりしてしまうので、ジョウロを使って、やさしく水やりしてね。

・収穫するまで

土の表面がかわいていたら、たっぷりと水をやるよ。かんそうに弱い野菜もあるので、くわしくは育て方のページを見てね。野菜が成長すると土の様子がわかりにくくなるので、茎や枝が折れないように、手でそっとよけてチェックしよう。水をやるときも同じ。葉をよけて、土にしみこませるように水やりしてね。

間引き

・間引きって何?

間引きは、種まきをして芽が出た後、小さな株やひょろひょろした株をぬき、野菜が成長しやすいように、株と株の間かくを広げる作業だよ。害虫や病気の被害を受けにくくし、おいしい野菜を収穫するための作業なんだ。

・間引きのやり方

間引きの方法には、株の根ごと引きぬく方法と、ハサミで株元を切る方法があるよ。引きぬく場合は、残す株がいっしょにぬけないように気をつけてね。間引きの後は、少し土を足すと、残した株が安定するよ。間引きをするタイミングは野菜によってちがうので、育て方のページをよく読んでね。2回め、3回めに間引いた株は「間引き菜」として食べられるよ。

ふた葉（子葉）

芽が出てから最初に開く2枚の葉のこと。トウモロコシなど、1枚しか葉がないものもある。

本葉（葉）

ふた葉のあとから出てくる葉。多くはその野菜本来の形をしている。

追肥（肥料やり）

・なぜ追肥するの？

野菜を育てているとちゅうで肥料を追加することを追肥というよ。はじめのうちは、土（培養土など）にふくまれている肥料を養分にして成長するけれど、だんだん肥料が減るから、育ちが悪くなってしまうんだ。追肥は、野菜を最後まで元気に育てるために必要な作業だよ。

・すじまきの追肥の方法

種をすじまき（一列にまくこと）にしたときは、列と列の間に肥料をぱらぱらとまこう。その後、軽く土と混ぜ合わせ、水をやってね。少しずつ肥料がとけて、土にしみこんでいくよ。追肥をするとき、土が減っていたり、根が見えそうになっていたりしたら、土を足してあげよう。追肥をする時期や量は野菜によってちがうので、育て方のページで確認してね。

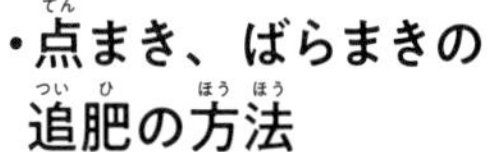

・点まき、ばらまきの追肥の方法

種を点まき（1～数粒ずつまくこと）したときは、株のまわりに肥料をまき、土と混ぜ合わせるよ。ばらまき（パラパラとまくこと）の場合は、葉に肥料がかからないようにプランター全体に肥料をまこう。最後の水やりも忘れずに。追肥の時期や量は、育てている野菜のページを見てね。

収穫

・収穫はいつするの？

収穫は、できれば朝のうち、おそくてもお昼までにはすませよう。くわしい収穫の方法は、育て方のページを見てね。水洗いをして土やよごれを落としたら、生で食べられる野菜はさっそく食べてみよう。とりたては、甘みがあってばつぐんにおいしいよ！

・根や葉を収穫する場合

土の中で育った野菜は、株元をもって引きぬくよ。葉を食べる野菜のうち、株ごと利用するものは、引きぬいてもいいし、根元をハサミで切って収穫してもいいよ。リーフレタスやシソ、バジルは、株を引きぬかず、使う分だけ葉をとろう。株が残っているので、長い期間、収穫して利用できるよ。

・実を収穫する場合

トマト、キュウリ、ナス、ピーマンなど実を食べる野菜は、へたをハサミで切って収穫しよう。トマトは雨に当たると実が割れてしまうし、キュウリは1日ごとにぐんぐん大きくなるよ。大きくなりすぎると、かたくて、おいしさも減ってしまうんだ。収穫がおくれないように、どんどんとってどんどん食べちゃおう。

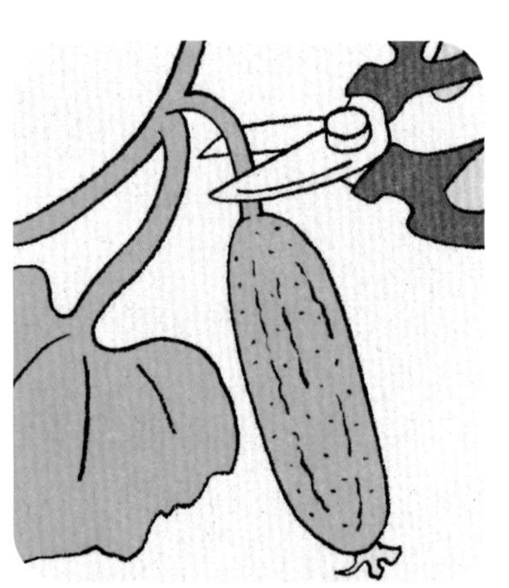

野菜によって必要な作業

育てる野菜によっては、支柱を立てたり、枝を整理したりする作業があるよ。おいしい野菜をつくるために、ひとがんばりだ。自分だけで作業をするのがむずかしいときは、おとなに協力してもらってね。

支柱立て

•なぜ支柱を立てるの?

草たけが高くなる野菜や、実が重たくなる野菜は、そのままにしておくと、たおれてしまうことがあるんだ。せっかく育ててきた野菜が、だめになってしまうよ。そこで、株のわきに支柱を立て、支えてあげるよ。それが支柱の役わりなんだ。

•支柱の選び方

支柱には、太いものや細いもの、短いものや長いものがあるよ。太さは、10~13㎜くらいの支柱が使いやすいよ。長さは、植えたばかりの苗を支えるときは、40~50㎝の短い支柱、育ってきた株を支えるときは、100~120㎝くらいの支柱を選ぼう。野菜のつるを巻きつけたいときは、「あんどん型」という支柱が便利だよ。

•支柱の立て方

株のわきに、まっすぐ、プランターの底に届くまでしっかりさし込むよ。その後、支柱と株をひもでゆるく結びつければ完成だよ。株が小さいときは1~2か所、株が大きいときは2~3か所、結ぼう。ひもは、この本では麻ひもを使っているよ。キュウリのようにつるがのびる野菜は、あんどん型の支柱が便利。つるを軽く巻きつけてあげると、その後は自然に巻きついていくよ。

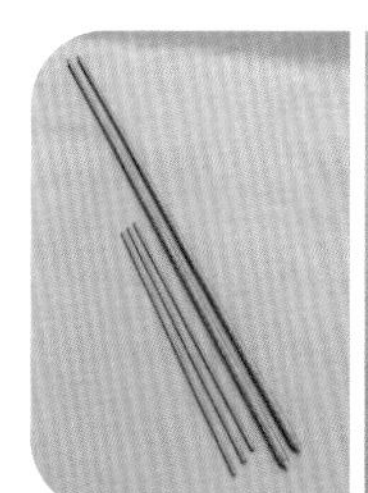

支柱

麻ひも

整枝・摘心

•「整枝」って何?

整枝は、ミニトマト、ナス、ピーマンなど、おもに実のなる野菜を大きく育てるための作業だよ。つるや枝がのびたままにしていると、養分をそちらに取られてしまい、実に回らなくなってしまうんだ。そうすると、実が大きく育たないよ。そこで、必要のないつるや枝、芽を取りのぞいて、実に養分がいくようにしてあげるんだ。この作業を「整枝」というよ。

•「摘心」って何?

摘心は、まっすぐのびてきた茎の先を切ることだよ。たとえばミニトマトでは、中心の茎が支柱と同じくらいの高さになったら、摘心するよ。こうして草たけがのびないようにすると、わきから出てくるほかの芽が育つんだ。「整枝」と同じように、大きな実を収穫するための作業だよ。

人工授粉

人工授粉は、雄花の雄しべについている花粉を雌花の雌しべにつけること。ミニトマトやトウモロコシ、イチゴ、ゴーヤーでは、実をつけやすくするために人工授粉をするよ。雄しべの花粉を雌しべにつけたり、支柱をたたいて茎をゆらし、花粉を落としたりして雌しべにつきやすくするよ。

ネットを張る野菜もあるよ

ゴーヤーのように、つるがのびて広がりながら成長する野菜は、ネットを張ってあげるよ。ネットは、のき下からつるしてプランターに固定してもいいし、ベランダのさくを利用して張ってもいいよ。支柱を立ててネットを張ってもOK。いろいろなサイズのネットがあるので、おうちの人に相談しながら選び、いっしょに張ってみてね。

肥料ってどんなもの？

肥料は、人の手で野菜に与える栄養のことだよ。人間と同じように、野菜の成長にもいろいろな栄養が必要なんだ。とくにたくさん必要なのが「チッソ・リン酸・カリ」という3つの栄養素。アルファベットで、チッソをN、リン酸をP、カリをKであらわすよ。おもに、次のような肥料があるんだ。

化成肥料

化成肥料は、「チッソ・リン酸・カリ」のうち、2種類または3種類を化学的に混ぜ合わせたつぶ状のかたい肥料のこと。この本では、「チッソ・リン酸・カリ」が同じ割合（8%）でふくまれている化成肥料を使っているよ。写真のように、袋に「N-P-K＝8-8-8」などと書いてあるので、目印にしてね。まく量や時期は野菜によってちがうので、育て方のページや肥料の袋に書いてある説明を参考にしてね。

液体肥料

液体肥料は、水でうすめて使う肥料で「液肥」ともいうよ。説明書きに書いてあるとおりに水でうすめれば、ジョウロで水やりしながら肥料をやることができるんだ。野菜が水を吸収するときに、いっしょに養分もとれるから、化成肥料よりも早く効果が出るという特ちょうがあるよ。野菜の元気がないときに、使ってみよう。液体肥料をやる場合は、1週間に1回を目安にしてね。

そのほかの肥料

化成肥料、液体肥料のほかにも、「緩効性肥料」「堆肥」など、いろいろな肥料があるよ。緩効性肥料は、ゆっくり効果が出る肥料のこと。堆肥は、稲わらや落ち葉、生ゴミ、家畜のふんや尿などを混ぜて発酵させた肥料だよ。野菜を育てる前に畑の土に入れて、野菜が育ちやすくなるようにするんだ。

虫や雑草、暑さはどうする?

野菜を育てていると、虫がついたり病気になったりすることもあるよ。
草が勝手に生えてくることもある。
虫は、葉や実を食べたりするだけでなく、病気をもってくることもあるんだ。
雑草は、野菜のための養分をうばってしまうよ。虫や雑草は、気がついたらすぐに取りのぞこう。
真夏は、暑さにも気をつけてね。

虫を見つけたら

虫は、あっという間にふえていくので、見つけたらすぐに退治することが大事。アブラムシのように小さな虫は、粘着テープでぺたぺたすると、取れるよ。たくさんいるときは、スプレーボトルに水を入れて吹きかけ、歯ブラシでこすり落としてもOK。青虫など大きな虫は、割りばしではさんで取りのぞこう。種をまいたときや苗を植えたとき、写真のように不織布をかけておくと、虫がつきにくくなるよ。このまま水やりも、できるんだ。マメ類のタネをまいたときに、鳥に食べられるのも防げるよ。株が成長してきたら、不織布をはずすか、少しずらそう。

雑草が生えてきたら

雑草が生えてきたら、野菜の成長がじゃまされないように、早いうちにぬいてしまおう。そのとき、野菜の株とまちがえないように気をつけてね。雑草をぬくときも、勢いよく引っぱると野菜の株が一緒にぬけてしまうことがあるので、注意しよう。雑草をぬいてプランターの土が減ったときには、土を足してね。

暑くなったら

真夏の強い日ざしは、野菜をぐったりさせるだけでなく、病気の原因になることがあるよ。プランターを置く場所を考えて直射日光が当たらないようにしたり、熱がこもらないように風とおしをよくしたりして、守ってあげよう。プランターの下に、すのこ板を敷いても、効果的だよ。また、いちばん暑い午後の時間帯に水やりをすると、土の中が蒸れて、野菜がいたんでしまうんだ。水やりは、朝夕の涼しい時間帯にしよう。

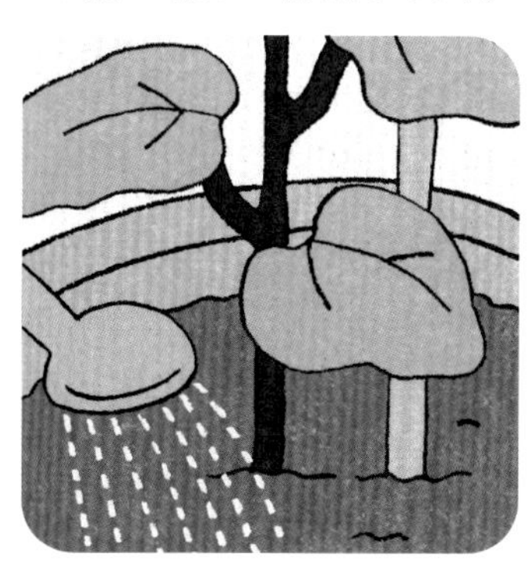

冷涼地カレンダー

各野菜のページにのせた「栽培カレンダー」は、関東から西の平野部向けのもの。
北海道、東北地方、北陸地方など、寒い地域に住んでいるみんなは、
このページのカレンダーを参考にしてね。

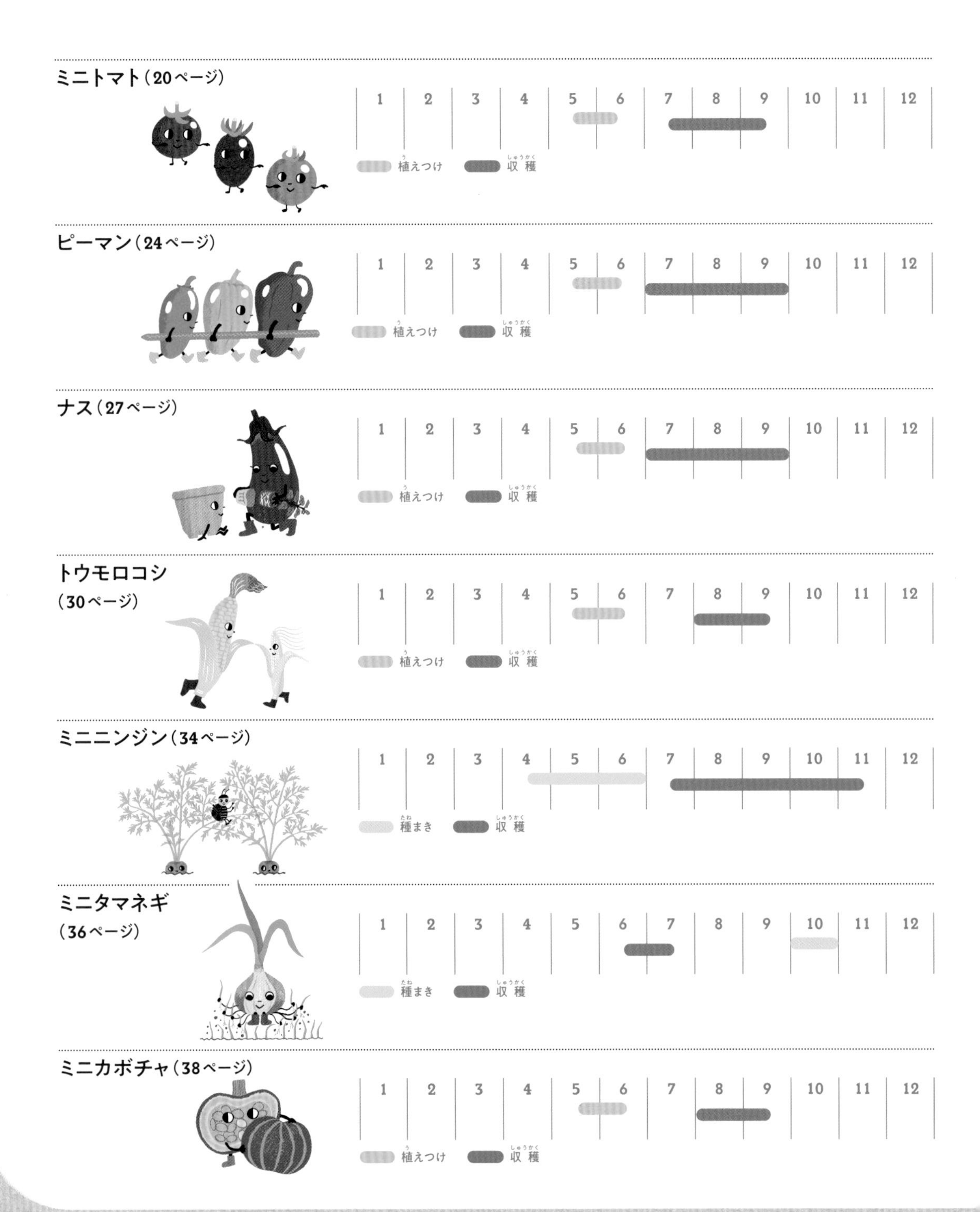

※このページにない野菜は、育て方のページの「栽培カレンダー」を見て、種まきや苗の植えつけを、2週間から1か月くらいおくらせてね。ただし、ラッキョウは植えつけを8月下旬～9月中旬に早めてね。収穫は翌年の7月になるよ。

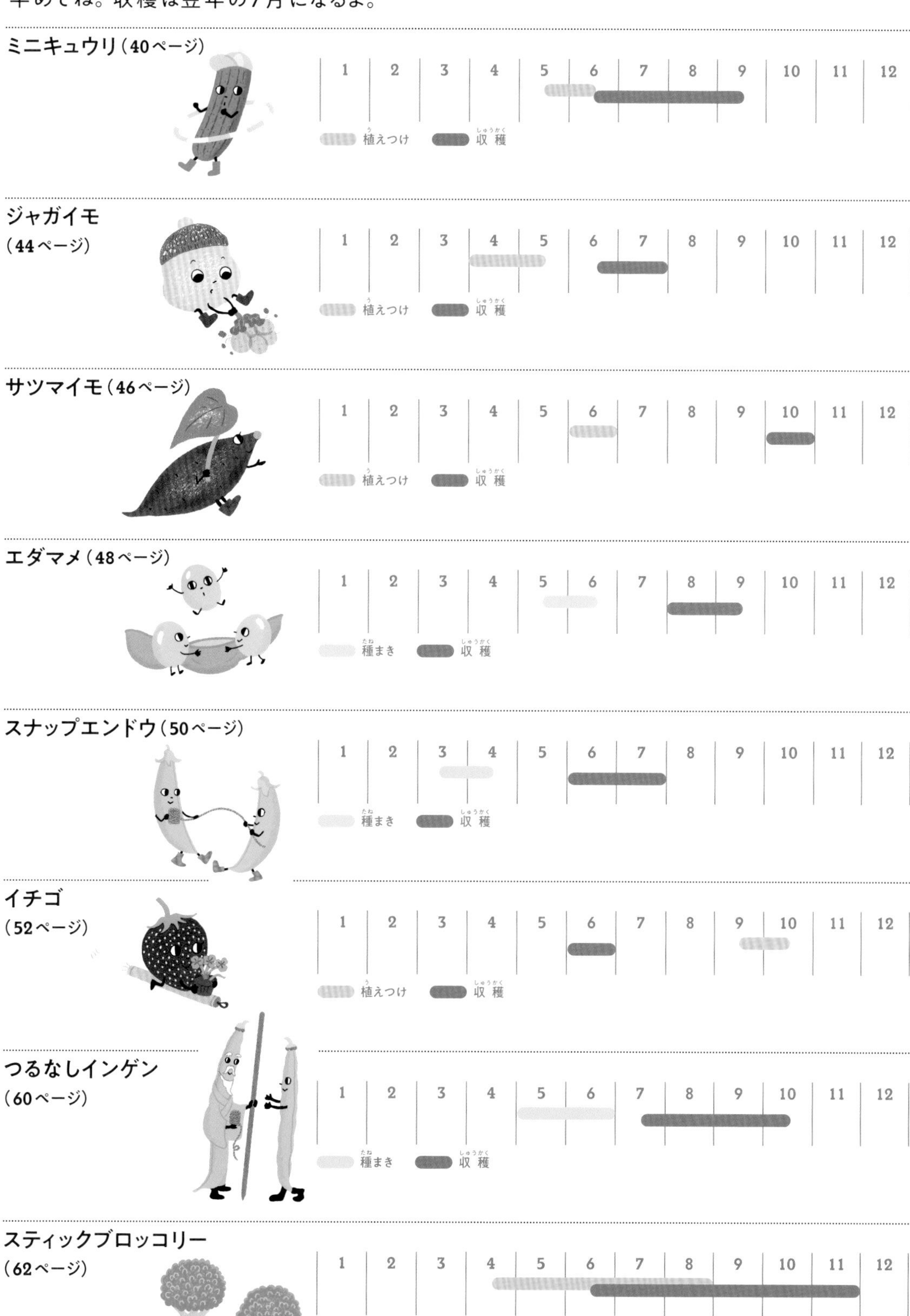

コラム　ダイコンのふくろ栽培に挑戦！

「ふくろ栽培」は、野菜を育てるための専用の土である培養土が入ったふくろを、
そのまま容器として使って野菜を栽培する方法だよ。
栽培用のふくろの作り方を覚えれば、プランターや植木鉢がなくても、だいじょうぶ。
スイカやカボチャのような重い実がつく野菜以外なら、いろいろな野菜を育てることができるんだ。
ここでは、ダイコンの育て方を紹介するよ！

用意するもの

・培養土入りのふくろ（14L以上）　・ハサミ　・ペットボトルのキャップ　・肥料

・ダイコンの種（根の長さが短い『ころっ娘』や『三太郎』が育てやすい）

※根の長さが長いダイコンを育てるときは、25L以上入りの培養土のふくろを用意してね

栽培用のふくろの作り方

はじめに、種をまいたり苗を植えたりするふくろを作るよ。

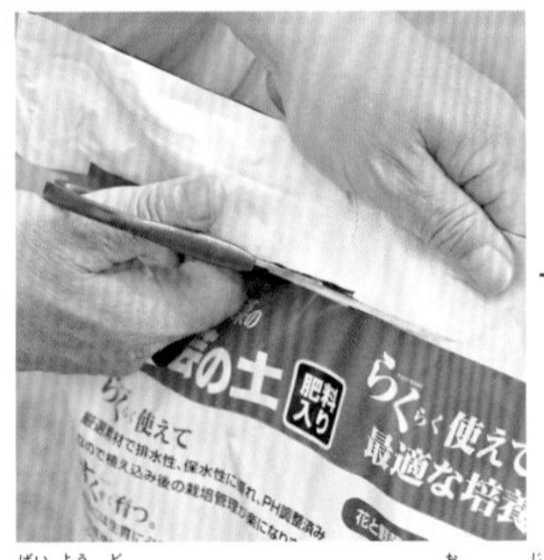

→

培養土のふくろをたてに置き、上部をハサミで切って開く。

→

ふくろの口を外側に2～3回、折り返す。土の表面からふくろのふちまでが約2cmになるようにする。

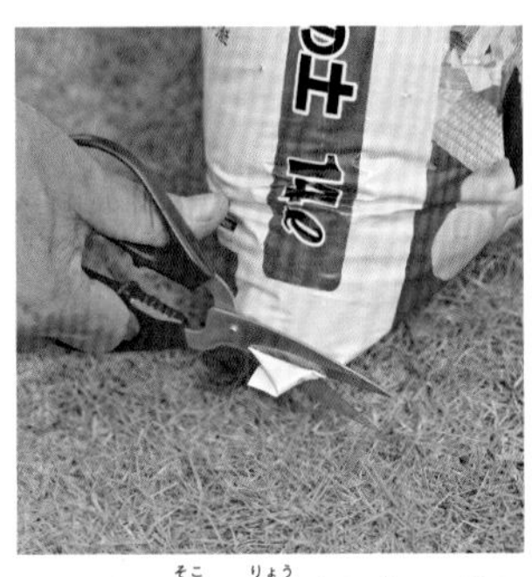

ふくろの底の両はしをハサミで切り、水がぬけるようにする。

→

ふくろの下のほうにハサミをさして、表と裏にそれぞれ12～13か所穴をあける。

種をまく

ペットボトルのキャップをさかさにして土におしつけ、右の写真のように、種まき用の穴を4か所あける。

1つの穴に4つぶずつ、重ならないように種をまく。

種の上にまわりの土をかける。

土の表面を平らにして、たっぷり水をやる。

芽が出てからのお世話

・間引き1回め、2回め

ふた葉が開き、本葉が1~2枚になったら、穴1か所につき株が3本になるように1回めの間引きをする。本葉が3~4枚になったら、穴1か所につき株が2本になるように、2回めの間引きをする。この2回めの間引き菜は、食べられる。

・追肥1回め

2回めの間引きの後、肥料約15g（小さじ1と半分）を株のまわりにまき、軽く土とまぜ合わせる。その後、たっぷり水をやる。

・間引き3回め

本葉が5~6枚のころ、穴1か所に元気のよい株1本を残して、間引く。4つの穴に1本ずつ、全部で4本の株が残る。この間引き菜も、食べられる。

・追肥2回め

3回めの間引きから2週間後に、肥料約15g（小さじ1と半分）を株のまわりにまき、軽く土とまぜ合わせる。その後、たっぷり水をやる。

・収穫

根の直径が6~7cmになったら、葉のつけねを持ち、引きぬいて収穫する。

へぇぇそうなんだ！ 野菜なるほどクイズ

この本でも紹介したように、野菜には、色や形、味に、それぞれの個性や特ちょうがあるよ。
でも、ほかにも伝えきれなかったおもしろい話がたくさんあるんだ。
その中からいくつかをクイズにしてみたよ。ぜひ挑戦してみてね。

1. コマツナ

コマツナは、江戸（今の東京）で栽培が始まった野菜だよ。〇か×か？

2. トマト

トマトには、昆布と同じ成分がふくまれているよ。〇か×か？

3. ナス

ナスの色は、むらさき色しかないよ。〇か×か？

4. エダマメ

江戸時代、エダマメは今でいうファストフードのような食べ物だったよ。
○か×か？

5. カボチャ

カボチャを漢字で書くと？
A西瓜　**B**南瓜　**C**胡瓜

6. ジャガイモ

次のうち、本当にあるジャガイモの品種はどれ？
Aインカのねむり　**B**インカのめざめ　**C**インカのねぼけ

7. イチゴ

イチゴのつぶつぶの正体は？
A果実　**B**新しい芽　**C**空気穴

8. ブロッコリー

次のうち、ブロッコリーの仲間はどれ？
Aゴボウ　**B**レタス　**C**キャベツ

もっと知りたい！

へぇぇそうなんだ！ 野菜なるほどクイズの答え

1. コマツナ……○

コマツナは、今の東京都江戸川区小松川地区で栽培が始まった野菜だよ。まだ名前のなかった青菜を食べた徳川8代将軍の吉宗公が、そのおいしさに感動して、小松川の菜っ葉「コマツナ」と名づけたといわれているよ。

2. トマト……○

トマトには、昆布と同じ「グルタミン酸」という成分がふくまれているよ。グルタミン酸は、料理の味を引き立てる「うまみ成分」のひとつ。みそ汁やお吸い物にも、トマトは合うよ。

3. ナス……×

「ナス紺」と呼ばれるむらさき色のほか、白、緑、しま模様のナスもあるんだ。ナスは英語で「エッグプラント」といい、エッグは卵のこと。白いナスは、ゆで卵にそっくりだよ。

4. エダマメ……○

枝つきの状態が、いちばんおいしいエダマメ。江戸時代は、枝つきでゆでたエダマメを道ばたで売っていたんだって。それを買って、さやをちぎりながら食べていたそうだよ。

5. カボチャ……B

カボチャは漢字で書くと「南瓜」。**A**の「西瓜」は「スイカ」、**C**の「胡瓜」は「キュウリ」だよ。カボチャ、スイカ、キュウリは、どれもウリ科の野菜なので「瓜」という漢字がついているよ。

6. ジャガイモ……B

インカのめざめは、中が濃い黄色で、ばつぐんに甘いジャガイモだよ。ほかにもいろいろな品種があるので、調べてみてね。そして「食べてみたい」と思った品種を育ててみよう。

7. イチゴ……A

わたしたちは、イチゴの赤い部分を「果実」と呼んでいるけれど、これは「花床」という部分がふくらんだもので、正確には果実ではないんだ。イチゴの本当の果実は、つぶつぶの部分。この中に、種が入っているんだよ。

8. ブロッコリー……C

ブロッコリーとキャベツは、同じアブラナ科の野菜だよ。しかも、同じ祖先から生まれたと考えられているんだ。形はまったく違うのに、不思議だね。ちなみにゴボウとレタスは、キク科の野菜だよ。

野菜を育てると、新しい発見がたくさんあるよ。
うまくいかなかったときは、次に生かせばOKだ。
自分で育てた野菜は、ものすごくおいしい。
「ホントに？」と思うなら、とにかく育ててみよう。
「ほんとうだった」と笑顔になること、まちがいなしだよ。
（藤田智より）

覚えてみよう！
野菜づくりの用語集

あ行

一番花
その株で最初に咲く花のこと。トマト、ナス、ピーマンなどでは、一番花が咲いているか、つぼみがついている苗を購入して植えると育ちがよい。

N-P-K
野菜の生育に欠かせない、特に不足しがちな三要素、チッ素（N）、リン酸（P）、カリ（K）のこと。肥料ぶくろの「N-P-K=8-8-8」とは、これらの三要素が肥料100g当たり8gずつふくまれていることを表す。

親づる
ウリ科などつる性の野菜で、ふた葉の間からのびた最初のつるのこと。親づるのわき芽からのびたつるは「子づる」、子づるのわき芽からのびたつるは「孫づる」と呼ぶ。

か行

科
動物や植物の分類単位の一つ。近年の植物の分類は、遺伝子の構造などから分類されるAPG体系が主流。

花茎
花を支える茎のこと。花茎とその先端についている花のつぼみがやわらかいうちに収穫して食べる野菜に、ナバナ類などがある。

株
1つの植物体、または植物体を数えるときの単位。株と株の間を「株間」、株のつけ根の部分を「株元」という。

さ行

じかまき
プランターなどの土に直接種をまくこと。ダイコンのように根が地中深くまでのびる野菜や、栽培期間が1か月程度と短い葉もの野菜は、じかまきが基本。じかまきには、「すじまき」「点まき」「ばらまき」などがある（84ページ）。

支柱
植物がたおれないように支えるためのぼう。

主枝（主茎）
ふた葉の間から最初にのびた、株の中心の枝のこと。また、主枝と、主枝についた葉のつけ根には「わき芽」があり、それがのびた枝や茎を「側枝」と呼ぶ。

人工授粉
確実に実をつけたり、実の形をよくするために人の手で受粉を行うこと。やわらかい筆などを使って花粉を雌しべにつけるなど、いくつかの方法がある（85ページ）。

スプラウト
マメ類や穀類、野菜の種などを暗いところで発芽させた野菜のうち、栽培の後半に日光を当てて、芽がのびたもの（74ページ）。

整枝
枝の先端をつみ取る「摘心」や、小さなうちにわき芽を摘み取る「わき芽かき」、混み合ったところの枝を切るなどの作業によって、株を整えること（85ページ）。風とおしや日当たりがよくなり、残した部分に養分が集中するため、よく育ち、実が大きくなる。

た行

追肥
種まきや植えつけのあと、野菜の成長に応じて肥料を与えること。野菜の成長とともに肥料分が多く必要になるため、成長段階に合わせて行うと効果的に吸収される（84ページ）。

摘心
枝の先端をつみ取って、その枝の成長を止めること。摘心を行うと、わき芽が多く出てのびるため、主枝からのびる側枝の数を増やすことができる（85ページ）。

とう立ち
気温や日の長さなどが一定の条件になると、植物が花芽をつけて花茎をのばすこと。葉と葉の間かくがたてに長くなったり、茎や葉がかたくなったりして、おいしく食べられなくなる野菜が多い。例外として、とう立ちしたやわらかい花茎を食べるナバナ類などがある。

は行

肥料
植物の生育に必要な栄養分のこと（7、86ページ）。

ふた葉
芽が出てから最初に開く葉を「子葉」といい、子葉が2枚あるものを「ふた葉」という。ネギやトウモロコシなど、子葉が1枚しかない植物もある。

本葉（葉）
ふた葉（子葉）のあとから出てくる葉。その植物本来の葉の形をしていることが多い。「ほんよう」ともいう。

ま行

巻きひげ
葉や茎の一部が変化したもので、ほかのものにからみついてのびる。キュウリやゴーヤーなどのウリ科野菜に多く見られる。

間引き
芽が出たあと、大きく育てる株以外の株を引きぬくこと。元気で形のよい株を残し、弱々しい、形のよくないものを引きぬく。2～3回に分けて行うことが多い。

や・ら・わ行

誘引
枝や茎、つるをひもなどで支柱やネットに固定すること。植物が風や雨でたおれたりするのを防ぎ、成長の方向を調整できる。

ランナー
イチゴやミントなどの、親株からのびて子株をつける枝のこと。「ほふく枝」ともいう。ランナーについた子株を植えると根が出るので、これを育てれば、翌シーズン用の苗として利用できる（54ページ）。

わき芽
茎のとちゅうから出てくる芽。多くは葉のつけ根（節）から出る。わき芽がのびると側枝になる。

野菜の種や道具が買える！
種苗会社

（株）サカタのタネ 直売部通信販売課
☎ 0570-00-8716（ナビダイヤル）
https://sakata-netshop.com

タキイ種苗（株）通販係
☎ 075-365-0140
https://shop.takii.co.jp

トキタ種苗（株）
☎ 048-294-5001
https://www.tokitaseed.co.jp/

（株）トーホク
☎ 028-661-2020
https://www.tohokuseed.co.jp

中原採種場（株）
☎ 092-591-0310（代）
https://www.nakahara-seed.co.jp

ナント種苗（株）
☎ 0744-22-3351
https://nantoseed.com

日光種苗（株）
☎ 028-662-1313
https://nikkoseed.com

藤田種子（株）
☎ 079-568-1320
https://www.fujitaseed.co.jp

（株）渡辺採種場
☎ 0229-32-2221（代）
https://watanabe-seed.com/

※50音順・情報は2024年2月時点のものです。

参考文献

『NHK趣味の園芸 やさいの時間 藤田智の新・野菜づくり大全』『NHK趣味の園芸 やさいの時間 藤田 智の菜園スタートBOOK 春夏編』藤田智著（ともにNHK出版）

『失敗知らず！毎日楽しい！ プランターで始める野菜づくり』深町貴子著（KADOKAWA）

『決定版一年中楽しめる コンテナ野菜づくり』金田初代著（西東社）

『新版 だれでもできるベランダで野菜づくり』麻生健洲著（家の光協会）

藤田 智

1959年生まれ。秋田県出身。岩手大学大学院農学研究科修了。恵泉女学園大学副学長・人間社会学部教授。生活園芸や野菜園芸学を教えるかたわら、多くの人に野菜づくりの楽しさを知ってもらうため、各地の市民農園で講座などを行なっている。ユニークでわかりやすい指導が人気。NHKテレビ「趣味の園芸 やさいの時間」などテレビ出演も多数。好きな野菜はメロンとスイカ。著書に『藤田智の新・やさいづくり大全』(NHK出版)など。野菜づくりの著書等は150冊以上にのぼる。

デザイン
三木俊一、西田寧々（文京図案室）

イラスト
竜田麻衣

取材・文
まつもとのぶこ

カバー撮影
石塚修平（家の光写真部）

写真
瀧岡健太郎、石塚修平、家の光フォトサービス

写真協力
株式会社サカタのタネ タキイ種苗株式会社

校正
ケイズオフィス

DTP制作
天龍社

ぜ〜んぶプランターでできちゃう！
小学生の野菜づくりブック

2024年3月20日　第1刷発行
2024年11月8日　第3刷発行

監修者
藤田 智

発行者
木下春雄

発行所
一般社団法人 家の光協会
〒162-8448
東京都新宿区市谷船河原町11
電話 03-3266-9029（販売）
03-3266-9028（編集）
振替 00150-1-4724

印刷・製本
TOPPANクロレ株式会社

ISBN 978-4-259-56789-7 C0061